CINQ
bonnes
minutes

Le soir

Jeffrey Brantley, M.D.
Wendy Millstine

CINQ bonnes minutes

Le soir

1OO exercices

pour vous aider à vous détendre
après votre journée et profiter
de votre soirée au maximum

Traduit par Fernand A. Leclerc et Lise B. Payette

BÉLIVEAU
★
éditeur

Montréal, Canada

L'édition originale de cet ouvrage a été publiée sous le titre
FIVE GOOD MINUTES IN THE EVENING
*100 mindful practices to help you unwind from the day
and make the most of your night*
©2006 Jeffrey Brantley et Wendy Millstine
New Harbinger Publications, Inc. (É.-U.)
ISBN 978-1-57224-455-9

Conception de la couverture: Alexandre Béliveau
Réalisation de la couverture: Morin Communication • Design

Tous droits réservés pour l'édition française
©2007, BÉLIVEAU Éditeur

Dépôt légal: 3ᵉ trimestre 2007
Bibliothèque et Archives nationales du Québec
Bibliothèque nationale du Canada

ISBN 978-2-89092-384-3

BÉLIVEAU
★
é d i t e u r

5090, rue de Bellechasse
Montréal (Québec) Canada H1T 2A2
514-253-0403 Télécopieur: 514-256-5078

www.beliveaued iteur.com
admin@beliveaued iteur.com

Nous reconnaissons l'aide financière du gouvernement du Canada par l'entremise du Programme d'aide au développement de l'industrie de l'édition pour nos activités d'édition.

IMPRIMÉ AU CANADA

Ce livre est dédié à tous ceux dont le travail et la générosité aident à rendre notre monde meilleur. Puissiez-vous être en sécurité et remplis de paix. Puissiez-vous être heureux et avoir le cœur léger.

— J. B.

À ma sœur, Nancy, dont le cœur doux, l'âme généreuse et la patience enrichissent chaque page.

— W. M.

Table des matières

Introduction

Imaginez que vous viviez avec un sentiment plus profond de paix et de calme, que vous vous sentiez plus présent et en lien avec ceux qui vous sont chers ainsi qu'avec la richesse de la vie, nuit et jour.

Comment pourriez-vous y arriver? Par où commenceriez-vous?

Dans notre livre précédent, *Cinq bonnes minutes le matin — 100 exercices pour vous aider à rester calme et garder le focus toute la journée,* nous vous invitions à explorer la possibilité que vivre votre vie dans le moment présent, pleinement et avec intention, puisse vous transformer radicalement. Même si cinq minutes à l'horloge peuvent sembler insignifiantes, le moment présent — le maintenant éternel — est très puissant, et c'est là en fait que la vie se passe.

Dans notre livre précédent, nous nous sommes concentrés sur de brefs exercices de présence, de sagesse, de connexion, de joie et de bien-être centrés sur le matin, un moment de la journée où l'énergie est en expansion et où les demandes de la journée sont devant vous. Dans ce livre, nous offrons 100 exercices simples de cinq minutes pour le soir, le moment où il faut embrasser d'autres dimensions de la vie, relaxer, communiquer avec ceux qui nous sont chers, et prendre le repos nécessaire pour se régénérer.

L'approche des cinq bonnes minutes offre, même à la personne la plus occupée, une occasion précieuse de vivre une relation différente avec sa propre vie. Chaque respiration consciente est une occasion de ressentir la vie en vous et autour de vous. Chaque moment vécu consciemment est une occasion de découvrir votre propre grandeur d'âme et de laisser la vie vous émouvoir profondément.

Le concept des cinq bonnes minutes est simple : prenez le temps, pendant seulement cinq minutes, d'être présent consciemment, de déterminer clairement votre intention et d'agir sans réserve, sans attendre de résultat alors que vous vous engagez dans un exercice ou une activité de concentration. La pratique de ces techniques — présence consciente, intention claire et action totale — vous ouvre la porte à l'expérience immédiate et riche du moment présent. Dans ce livre, vous trouverez des exercices qui vous demandent de respirer ou d'écouter de façon consciente pendant environ une minute, puis de déterminer votre intention et d'agir sans réserve.

Si vous n'avez jamais pratiqué la conscientisation jusqu'ici, ne vous en faites pas! Dans la première partie de ce livre, vous trouvez des instructions claires et faciles à suivre pour pratiquer la respiration consciente et l'écoute consciente. Revenez sur ces instructions aussi souvent que nécessaire. Avec la pratique, vous découvrirez qu'il est naturel et facile d'être présent par la respiration consciente ou l'écoute consciente. Si vous commencez à ressentir une force dans ces méthodes d'être conscient qui va au-delà de cinq petites minutes, soyez prêts à en profiter, également.

Quand ils sont faits avec attention et sans réserve, chacun de ces exercices vous offre une nouvelle façon de vous découvrir et de découvrir votre vie, et ils peuvent vous apporter perspicacité et compréhension. Cela pourrait même mener à des changements profonds et enrichissants résultant du fait que vous êtes plus présent, que vous vous sentez plus en lien, et que vous êtes plus ouvert aux mystères et à l'émerveillement de la vie dans ces corps humains.

Il est facile de se déconnecter de soi quand nous sommes prisonniers du rythme d'une vie très occupée et que nous nous identifions à ce que nous croyons être si important. Mais les coûts d'un tel détournement sont très élevés: les soucis et la précipitation pourraient dominer votre vie intérieure; vous pourriez sentir que vous avez perdu contact avec les gens que vous aimez, et peut-être même qu'il ne vous est plus possible de connaître une bonne nuit de sommeil.

Ce livre, comme celui qui l'a précédé, a pour but de vous aider à trouver et à reprendre ce qui vous appartient: un sentiment plus profond et plus riche de joie, de paix, de connexion, et un sens à votre vie, dans la tourmente des occupations et des exigences de tous les jours, au travail, à la maison et dans votre vie personnelle.

Parce que les exigences du monde du travail peuvent être si intenses, cet ouvrage se concentre sur des exercices qui vous aideront à lâcher prise sur le rythme et les répercussions de votre journée de travail, et d'occuper plus pleinement la dimension plus vaste de votre vie. Une vie remplie en ce sens veut dire avoir du plaisir, relaxer et prêter une plus grande attention à votre vie intérieure ainsi qu'aux personnes que vous aimez. Nous avons aussi inclus une section d'exercices destinés à vous aider à prendre le repos dont vous avez besoin et une bonne nuit de sommeil.

En cinq petites minutes par jour, ou même seulement quelques fois par semaine, les exercices de cet ouvrage pourront vous aider, ou aider une personne qui vous est chère, à reprendre contact avec la vie de toutes les manières:

- Vous vous sentirez plus à l'aise et plus vivant, et vous serez plus présent à votre vie, au-delà de la vie de tous les jours.

- Vous sentirez que vous êtes plus en lien avec votre vie intérieure, et vous profiterez de relations plus satisfaisantes avec ceux que vous aimez, y compris vos animaux de compagnie.

- Vous découvrirez davantage des mystères et de l'émerveillement de cette vie humaine.

- Vous vous sentirez plus calme et en paix. Ainsi, avec un peu de chance, vous jouirez de bonnes nuits de sommeil.

PARTIE 1

Les fondements

Être présent
aux cadeaux de votre vie

Cinq minutes ne sont que du temps à l'horloge. Les exercices et activités contenus dans ce livre vous invitent à habiter le moment présent qui est toujours là, éternel.

Les expériences de la vie coulent continuellement dans le moment présent et hors de ce temps. Les conditions sont toujours changeantes. Le matin, l'énergie, les pensées, les plans et les gens se présentent d'une façon. En fin de journée, tout peut être totalement différent : les niveaux d'énergie changent, des rappels de votre journée peuvent brouiller votre lien vers votre foyer et votre vie personnelle, et les doutes ou les soucis peuvent dominer votre vie intérieure.

Pour embrasser la plénitude de la vie et être disponible à tous les cadeaux qu'elle vous offre, il est important d'apprendre à rester présent et à travailler avec ces conditions changeantes, quelles qu'elles soient. Les exercices contenus dans ce livre visent à vous aider à effectuer la transition après votre journée de travail et à vous soutenir afin que vous soyez disponible pour votre vie après le travail et au cours de la soirée, incluant prendre le repos et le sommeil dont vous avez besoin.

Le moment présent devient un lieu que vous pouvez habiter plus pleinement quand vous pratiquez la conscientisation — prêter attention délibérément, comme si cela était vraiment important, aux expériences qui se passent autant à l'intérieur qu'à l'extérieur de vous. La manière dont vous prêtez attention est importante. Être conscient signifie prêter attention de façon ouverte, sans jugement, en cherchant à comprendre et à ressentir l'expérience et non à la changer. En tant qu'humains, nous avons tous la capacité d'être conscients; il nous suffit seulement de le savoir et de le faire.

Être conscient peut initier un changement dans votre relation avec votre vie intérieure qui vous procurera en fin de compte une plus grande liberté face à la vitesse et à l'agitation qui surviennent naturellement au cours d'une journée occupée. Cela peut vous libérer des variations habituelles d'énergie, dans votre esprit et votre corps, et vous rendre plus disponible pour agir dans le moment présent.

Pourquoi cinq bonnes minutes le soir?

Avez-vous parfois l'impression de vivre sur un tapis roulant? Bien que les situations et le contexte de la vie changent habituellement en soirée, combien de fois les événements de la journée influencent-ils, ou même déforment-ils, les activités de la soirée? Vous avez peut-être vécu certaines de ces répercussions:

- Votre corps a quitté le travail, mais votre esprit y est encore.

- Votre énergie physique est faible, mais l'empressement et les soucis accablent vos pensées.

- Un ami vous parle, mais votre attention est dans le passé ou l'avenir.

- À la maison, le chien vous apporte son jouet, le chat ronronne, votre enfant ou votre conjoint vous touche la main, mais vous n'êtes pas présent quand se produit ce précieux moment.

Que s'est-il produit dans ces exemples, et d'autres trop nombreux, d'absence et d'inattention? Vous avez été emporté par le tourbillon d'une journée remplie de pensées, d'intentions et d'actions. Quand vous revivez certaines scènes, que vous êtes obsédé par des plans ou assailli par des sentiments de tension et de souci, vous risquez de perdre les bienfaits de la soirée, incluant le repos et le regain.

Chaque exercice de cinq minutes dans ce livre est une occasion relaxante, amusante, enrichissante et créatrice d'explorer et de vivre d'une façon différente votre vie, d'être présent et en relation avec elle, au moment où vous passez de la journée à la soirée. En plus de vous faciliter cette transition, vous pourriez découvrir que ces exercices vous aident à développer des relations plus profondes avec les autres, et à découvrir la grandeur et le mystère dans le cœur humain.

Comment utiliser ce livre

Les 100 exercices contenus dans cet ouvrage vous offrent des moyens spécifiques pour vous détendre et vous libérer de votre journée de travail, afin de profiter de votre vie de famille et du temps passé avec vos êtres chers et vos animaux de compagnie, et pour jouir d'une bonne nuit de sommeil.

Vous n'avez pas à faire chacun des 100 exercices.

Vous n'avez pas à aimer ou à apprécier les 100 exercices.

Vous n'avez pas à les faire dans l'ordre, de 1 à 100.

Il vous serait utile d'aborder chaque exercice dans un esprit de détente et de plaisir. Essayez d'adopter l'attitude selon laquelle chaque exercice est là tel un ami ou un allié pour vous aider et vous réconforter. Les exercices ne vous seront pas aussi utiles si vous les abordez comme simplement une autre tâche sur votre liste déjà surchargée de choses à faire.

Lisez en entier les exercices de la manière qu'il vous plaira, et recherchez ceux qui vous intéressent. Il serait préférable de débuter par ceux qui semblent amusants, qui évoquent un sentiment de soulagement intérieur simplement en les lisant, ou ceux qui éveillent votre curiosité. Sachez que ce ne seront pas toujours les mêmes exercices qui vous sembleront intéressants d'une journée à l'autre ou avec le temps. Périodiquement, il serait utile de revenir en arrière et de relire des exercices différents que vous n'avez pas essayés.

Il est très important d'être patient à votre égard. D'après nous, il *n'est pas possible* de faire une erreur en pratiquant un des exercices en autant que vous soyez prêt à faire un effort sincère. Comme nous le soulignons dans la section à propos d'agir sans réserve, il est très utile d'entreprendre un exercice sans vous attarder au résultat. En d'autres mots, faites-le simplement et voyez ce qui arrivera sans mettre de pression supplémentaire sur l'exercice ou sur vous-même pour que « ça fonctionne ».

Vous trouverez probablement utile de lire la description à quelques reprises avant d'entreprendre l'exercice. De plus, vous pourriez demander à quelqu'un de lire les instructions à voix haute, ou vous pourriez les enregistrer vous-même.

Vous voudrez peut-être faire l'expérience de partager un exercice avec votre conjoint, un enfant ou un groupe d'amis ou de collègues. Dans ce cas, chaque personne fera l'exercice en même temps pendant qu'une autre le lit ou pendant l'écoute de l'enregistrement des instructions. Il peut être bénéfique de prendre du temps pour échanger ou discuter de l'expérience de chacun, une fois l'exercice terminé.

Enfin, quand vous trouvez un exercice que vous aimez, ne vous sentez pas obligé de vous limiter à seulement cinq minutes, seulement le soir, ou seulement une fois par jour ! Expérimentez et prenez plaisir à répéter vos exercices préférés aussi souvent que vous le désirez.

Tout commence en étant présent

La vie se passe en ce moment, et la richesse de la vie ne vous est accessible que lorsque vous êtes présent pour elle. La première de vos cinq bonnes minutes consiste à fixer votre attention sur le moment présent (peu importe que les instructions de l'exercice le disent explicitement ou non). Tout ce que vous faites devient plus riche et plus puissant quand vous prenez une minute ou deux pour fixer votre attention et votre conscience dans le moment présent avant de faire quoi que ce soit d'autre.

Être présent amène une impression de paix et de bien-être. Nous avons inclus des exercices pour vous aider à vous détendre, à libérer le stress et la tension, et même à rire. Vous voudrez peut-être rechercher un de ces exercices et consacrer vos cinq bonnes minutes à relaxer et à évacuer la tension. Ce serait du temps bien utilisé !

Être présent exige que vous fassiez un effort pour être ici, dans le moment présent, en étant attentif. Vous trouverez dans ce livre des exercices qui vous aideront à centrer consciemment votre attention afin que vous puissiez être en contact plus pleinement avec chaque moment de votre vie, incluant vos cinq bonnes minutes. Plus vous ferez d'exercices de conscientisation, plus votre conscience s'épanouira et plus votre accessibilité au moment présent augmentera.

Être présent signifie être patient quand votre attention dérive ailleurs, ce qui arrive à tout le monde. La douceur et la patience envers vous-même aideront à vous soutenir au moment où vous ramènerez votre attention, de nombreuses fois — même dans une courte période de cinq minutes.

Il est plus facile d'être présent lorsque vous lâchez prise sur toute pensée à propos de la *prochaine* chose et que vous vous concentrez plutôt sur *cette* respiration en *ce* moment. Il est possible que vous ne puissiez être attentif pendant cinq respirations ou dix sons de suite, mais vous pouvez être présent à *cette* respiration ou à *ce* son.

Vos clés pour être présent

Il faut une certaine habileté et de la pratique pour être vraiment présent. Dans ce livre, nous appelons cette façon d'être présent: « être conscient », et cela signifie que nous prêtons attention délibérément d'une manière amicale et sans juger, permettant ainsi à l'expérience de venir à vous.

Quand vous prêtez attention de façon consciente, vous ne cherchez pas à changer, à ajouter, ou à retirer quoi que ce soit de ce que vous vivez. Être conscient est en fait un exercice en soi. Vous vous exercez à être attentif — comme si c'était vraiment important — à votre expérience en ce moment, telle qu'elle se déroule, en vous permettant d'accueillir ce qu'elle apporte.

Il y a plusieurs façons d'établir la conscientisation. Elles demandent toutes de prêter attention délibérément, comme si c'était vraiment important, sans jugement, et sans tenter de changer quoi que ce soit à l'expérience que vous observez. Dans les exercices de ce volume, vous trouverez plusieurs manières différentes d'être conscient.

Il y a deux formes d'exercices de conscientisation qui sont si utiles et si importantes qu'elles méritent une mention spéciale : la respiration consciente et l'écoute consciente. Chaque méthode vous offre une façon d'habiter le moment présent plus pleinement, et chacune peut être la première étape de vos cinq bonnes minutes.

Dans ce livre et dans notre livre précédent *Cinq bonnes minutes le matin*, plusieurs exercices débutent par les mots : « Respirez consciemment pendant environ une minute. » La respiration consciente est une ancienne manière très puissante de fixer votre attention dans le moment présent. Plus loin, vous trouverez des instructions simples qui vous guideront dans la pratique de la respiration consciente. Cependant, la respiration consciente ne sera pas toujours facile; c'est pourquoi nous vous donnons aussi des instructions pour l'écoute consciente, laquelle vous permet de centrer votre attention sur les sons de votre environnement.

Quand devez-vous choisir une méthode plutôt qu'une autre? Plusieurs personnes trouvent qu'il est difficile de concentrer leur attention sur la respiration quand leur esprit est agité ou très occupé. Elles peuvent aussi être distraites de leur respiration par les sons ambiants quand elles sont dans un milieu bruyant. Pour vous assurer de pouvoir faire vos exercices même dans de telles situations, vous pourriez choisir de travailler sur l'écoute consciente des sons eux-mêmes. L'écoute consciente tend à vous aider à acquérir un sentiment de grandeur intérieure qui peut plus facilement inclure tout ce qui se produit, même les distractions. D'une autre façon, si vous vous sentez exténué, ou n'arrivez pas à être en relation avec votre corps, ou si vous vous sentez nerveux et agité, concentrer votre attention uniquement sur les impressions que vous procure votre respiration pourrait être ce qu'il vous faut pour vous ramener dans le moment présent avec une sensation de tranquillité et de calme.

La respiration consciente et l'écoute consciente : le premier élément de vos cinq bonnes minutes

Vous trouverez ci-après des instructions faciles pour pratiquer la respiration consciente et l'écoute consciente. Expérimentez et amusez-vous avec les deux. Revenez à ces instructions aussi souvent que nécessaire pour renforcer votre pratique de la conscientisation. Plus vous vous sentirez confiant avec chacune de ces méthodes de la pratique de la conscientisation, plus vous aurez tendance à les utiliser, non seulement pendant les exercices particuliers de cinq minutes, mais aussi dans d'autres situations où une présence et une attention accrues seront des éléments importants de votre expérience totale.

Essentiellement, la respiration consciente demande simplement de diriger votre attention totalement sur un point précis de votre respiration — en l'observant telle qu'elle se produit, sans tenter de la contrôler. Voici quelques instructions simples pour la respiration consciente :

1. Mettez-vous à l'aise. Vous pouvez pratiquer la respiration consciente dans n'importe quelle position : assise, allongée, debout ou même en marchant.

2. Pour réduire les distractions, fermez vos yeux ou concentrez-vous doucement sur un point au sol, un mètre ou deux devant vous.

3. Pendant cet exercice, lâchez prise sur toutes vos obligations. Vous n'avez pas à devenir une autre personne, ou autre chose, ou provoquer quelque chose de particulier. Vous avez déjà tout ce qu'il faut pour être conscient. Relaxez tout simplement.

4. Dirigez doucement votre attention vers votre corps et ensuite vers la sensation du mouvement de votre respiration. Arrêtez-vous là où il vous est le plus facile de ressentir l'air dans vos poumons qui entre et qui sort. La poitrine, ou l'abdomen, qui se soulève et s'abaisse, ou le bout de votre nez, sont des points communs où porter votre concentration.

5. Laissez-vous pénétrer par la sensation de votre respiration. Vous n'avez pas à la contrôler d'aucune façon. Laissez-la couler naturellement en portant votre attention sur ce que vous ressentez quand vous inspirez, pendant la pause, pendant l'expiration, et ainsi de suite pour chaque respiration.

6. Quand votre attention dérive de votre respiration, vous n'avez pas fait d'erreur ou quoi que ce soit de mal. Observez simplement ce mouvement de votre attention en le comprenant comme étant une habitude de votre esprit, et ramenez doucement votre attention sur les sensations de votre respiration au moment présent. Votre esprit s'éloignera probablement d'innombrables fois de votre respiration. Quand cela se produit, observez simplement où votre attention s'est déplacée et soyez patient et doux envers vous-même en ramenant votre attention sur les sensations de votre respiration du moment présent.

7. Ne faites pas d'effort pour être présent pendant plusieurs ou même quelques respirations. Concentrez-vous plutôt à établir un lien avec *cette respiration,*

cette inspiration, cette expiration. Même si vous n'arrivez pas à vous concentrer sur deux respirations consécutives, vous pouvez vous concentrer sur cette respiration. Être présent à cette respiration est suffisant.

8. Prêtez une plus grande attention en observant la qualité de chaque nouvelle respiration de façon aussi précise et soutenue que possible. Essayez de rester présent pendant un cycle complet de respiration: inspiration, pause, expiration, pause.

9. Terminez votre méditation sur la respiration en détournant votre concentration des sensations de votre respiration, en ouvrant les yeux et en bougeant doucement.

En plus de respirer de façon consciente, il est souvent utile, particulièrement quand vous souhaitez vous calmer ou vous détendre, de respirer profondément de façon volontaire, à partir de votre abdomen, pas seulement de votre poitrine. Certains des exercices vous apprendront à respirer profondément ou à respirer *du diaphragme.* Nous parlons ici d'une respiration plus profonde qui fait que votre diaphragme (le muscle qui sépare votre poitrine de votre abdomen) s'étend vers le bas et fait gonfler votre ventre.

Pour vérifier la façon dont vous respirez, placez une main sur votre poitrine et l'autre sur votre ventre, en haut du nombril. Quelle main bouge le plus quand vous respirez? Pour vous assurer de respirer du diaphragme, exercez-vous à dilater votre diaphragme vers le bas (en prenant une grande respiration). Il en résultera que la main sur votre ventre bougera plus que celle sur votre poitrine. S'il est possible de respirer correctement en contractant et en détendant simplement la poitrine, la respiration du diaphragme — la respiration profonde de l'abdomen — est un puissant outil pour amener le calme et même pour soulager l'anxiété. La prochaine fois que vous serez envahi par une forte émotion négative, essayez de respirer du diaphragme et observez les effets.

Voici quelques éléments importants qu'il faut retenir sur la respiration consciente et la respiration du diaphragme, et quelques différences entre les deux :

- La respiration profonde du diaphragme demande un effort conscient qui va au-delà de la respiration naturelle du corps.

- En utilisant délibérément votre diaphragme pour respirer, vous respirez plus profondément, de votre abdomen, et ainsi vous pouvez aider votre corps à absorber plus d'oxygène. Quand les gens sont angoissés ou stressés, ils ont souvent l'habitude de respirer rapidement et superficiellement, ce qui implique que la poitrine bouge mais pas l'abdomen. En respirant consciemment de votre abdomen, vous pouvez modifier cette habitude de respiration superficielle et de mauvaise oxygénation dans les moments d'angoisse ou de stress.

- La respiration du diaphragme est un exercice puissant pour faire entrer et sortir plus d'air dans votre corps. Vous n'avez qu'à prendre volontairement quelques respirations profondes quand vous pratiquez cette forme de respiration. Votre corps n'a que rarement besoin d'un si gros volume d'air par respiration pendant une période prolongée.

Quand vous commencez à ressentir les avantages de quelques respirations plus profondes, et même une sensation de calme monter en vous, cessez de respirer du diaphragme et laissez votre corps retrouver son rythme naturel de respiration.

- « La respiration consciente » — au sens où nous l'entendons dans ce livre — se pratique en prêtant attention aux sensations produites par les cycles normaux de respiration de notre corps. La respiration consciente ne nécessite aucun contrôle du processus de la respiration.

- Et, bien sûr, vous pouvez être « conscient » de votre respiration du diaphragme.

L'écoute consciente demande que vous dirigiez toute votre attention sur les sons de votre environnement, quels qu'ils soient. Accueillez-les et observez-les simplement, sans les étiqueter ni les juger. Voici quelques instructions pour l'écoute consciente :

1. Mettez-vous à l'aise. Vous pouvez pratiquer l'écoute consciente dans n'importe quelle position : assise, allongée, debout ou même en marchant.

2. Pour réduire les distractions, fermez les yeux ou concentrez-vous doucement sur un point au sol, un mètre ou deux devant vous.

3. Pendant cet exercice, lâchez prise sur toutes vos obligations. Vous n'avez pas à devenir une autre personne, ou autre chose, ou provoquer quelque chose de particulier. Vous avez déjà tout ce qu'il faut pour être conscient. Détendez-vous tout simplement.

4. Concentrez votre attention sur les sons qui vous entourent.

5. Laissez les sons venir à vous, en les accueillant sans leur accorder de préférence.

6. Chassez toute pensée à propos des sons ; concentrez-vous plutôt sur l'expérience directe du son lui-même.

7. Laissez votre concentration s'approfondir afin d'inclure tous les sons.

8. Écoutez et accueillez un seul son, puis un autre. Observez comment un son s'affaiblit pour être remplacé par un autre. Remarquez même le délai entre chacun. Relaxez, détendez-vous et ouvrez-vous.

9. Laissez-vous porter par la méditation. Écoutez et ouvrez-vous avec chaque son qui arrive et repart. Reposez-vous dans le calme qui reçoit tous les sons.

10. Terminez votre méditation en détournant votre attention des sons, en ouvrant les yeux et en bougeant doucement.

L'intention : le deuxième élément de vos cinq bonnes minutes

Déterminer une intention claire est une façon de vous orienter vers une valeur ou un objectif important. L'intention précède tout mouvement du corps humain, il est donc essentiel d'apprendre à identifier votre intention et de vous entraîner à déterminer de sages intentions.

Déterminer une intention peut être fait de façon habile ou malhabile. Par exemple, il ne serait pas très habile d'avoir l'intention de vous libérer à 100% de tous vos soucis et d'en faire un objectif obligatoire. Évitez de déterminer une intention irréaliste ou que vous devez atteindre à tout prix. C'est un piège qui ouvre la porte à une dure critique de soi et possiblement au cynisme quant à votre capacité de faire quoi que ce soit pour vous aider vous-même.

Une intention habilement déterminée ressemble plus à un guide amical. Elle vous oriente dans la bonne direction, mais reconnaît que les changements importants prennent du temps. La patience et la douceur à votre égard alors que vous avancez vers la direction choisie sont des alliées importantes dans votre cheminement. Par exemple, il serait préférable d'envisager votre intention de vous libérer de tous vos soucis comme une direction vers laquelle vous aimeriez cheminer. Comme il ne serait probablement pas réaliste de souhaiter vous libérer entièrement de tout souci, il pourrait s'avérer plus pratique de vous donner comme objectif de « moins vous inquiéter et de relaxer davantage ».

Chacun des 100 exercices de cet ouvrage a le pouvoir d'appuyer toute intention que vous pourriez choisir. Par le simple geste de faire une déclaration d'intention, vous ouvrez la porte à un profond changement dans votre vie, au cours du moment présent.

Agir sans réserve : le dernier élément de vos cinq bonnes minutes

En pratiquant l'exercice de votre choix, nous vous encourageons à agir sans réserve, sans vous préoccuper du résultat. Qu'est-ce que cela veut dire ? Agir sans réserve signifie faire quelque chose avec toute votre attention et toute votre énergie. Si vous êtes présent et avez déterminé votre intention, vous avez déjà mis en place les bases solides pour agir sans réserve.

Vous découvrirez peut-être qu'il faut de la pratique pour agir sans réserve, même pendant cinq minutes. La plupart des gestes que nous posons dans la vie sont faits sans toute notre attention ou notre plein engagement, et ce, pour différentes raisons. Ces habitudes d'inattention et de non-engagement peuvent être corrigées, mais il faut des efforts pour y arriver.

Ainsi, lorsque vous commencerez à faire les exercices de ce livre, soyez patient et donnez-vous de l'espace pour progresser. Observez également que les divers exercices conviennent mieux à certaines humeurs, à certains moments, et à différentes parties de votre journée et de votre nuit.

Quand vous aurez choisi ceux qui semblent vous convenir, essayez d'entretenir une volonté d'expérimenter, sans attendre des résultats immédiats ou une solution miracle. Si vous obtenez des résultats immédiats (ce qui est possible!), soyez reconnaissant. Cependant, vous découvrirez qu'il est plus facile d'agir sans réserve pendant votre exercice si vous cessez de vouloir changer ou provoquer quoi que ce soit. C'est ce que nous entendons quand nous disons « sans se préoccuper du résultat ». Contentez-vous de faire l'exercice sans accorder trop d'attention ou porter de jugement sur ce qui se produit.

Il est parfaitement normal de vous sentir inconfortable, un peu ridicule ou même gêné en faisant un exercice. Souvenez-vous que vous ne pouvez pas faire d'erreur si vous faites de votre mieux. Alors, limitez-vous à accueillir ce que vous ressentez (c'est ça, un moment de conscientisation) et continuez votre exercice !

100 portes ouvertes vers des possibilités

La vie est remplie de possibilités, si seulement nous pouvons les voir et nous ouvrir à elles. Nos cycles habituels d'énergie nous coupent de la richesse de la vie, moment après moment, mais nous ne sommes pas obligés de rester prisonniers de ces cycles. Il existe une autre voie que l'inattention, la réduction et la réactivité. Chaque cinq bonnes minutes vous ouvre la porte pour faire face à la vie d'une nouvelle manière en vous offrant de nouvelles possibilités.

Alors, ayez le sens pratique, choisissez les exercices qui vous interpellent et appliquez-les avec patience. Soyez indulgent à votre égard, permettez à votre esprit de vagabonder et d'être distrait. Donnez-vous le droit de vous amuser, d'avoir du plaisir et d'être surpris.

En profitant du pouvoir de transformation et de guérison de la conscientisation, de l'intention et d'agir sans réserve, au moment et au lieu de votre choix, vous accédez directement aux possibilités infinies dans votre vie. Puissiez-vous vivre vos possibilités!

Ce livre vous offre 100 façons de commencer. Nous espérons que vous trouverez la joie, le bien-être, l'émerveillement et l'émancipation grâce à ces exercices.

PARTIE 2

Les exercices

Laissez le travail
au travail

1

relaxez et oubliez
la journée de travail

A lors que vous êtes encore au travail et que vous terminez votre journée, prenez cinq bonnes minutes pour laisser tout votre travail au travail.

1. Assoyez-vous confortablement et fermez les yeux.

2. Respirez ou écoutez consciemment pendant environ une minute.

3. Déterminez votre intention. Par exemple : « Que cet exercice me permette de quitter le travail avec un sentiment d'accomplissement dans le cœur, l'esprit et le corps. »

4. Continuez à respirer ou à écouter consciemment, et permettez-vous de libérer vos tensions, en vous assouplissant et en vous ouvrant tout en vous sentant en sécurité.

5. Parlez-vous doucement et reconnaissez que votre journée de travail est terminée. Dites quelque chose comme : « J'en ai maintenant fini avec le travail », ou « Je quitte maintenant le travail », ou toute autre phrase qui vous semble appropriée.

6. Respirez consciemment encore un peu.

7. Si vous le désirez, faites un souhait ou une prière. Par exemple : « Que le plus grand bien résulte de mon travail d'aujourd'hui. »

8. Terminez en ouvrant les yeux et en bougeant doucement.

2

une vue claire

Une journée de travail éreintante peut souvent entraîner une fatigue des yeux et de l'épuisement. Des yeux douloureux, secs ou irrités — un symptôme commun parmi les utilisateurs d'ordinateurs — peuvent nuire à la concentration et même interrompre votre sommeil. Nous comptons beaucoup sur notre vue pour l'exécution de nos innombrables tâches; pourtant, nous négligeons d'en prendre soin. Avant de quitter le travail, prenez les cinq prochaines minutes pour réduire l'inconfort dans vos yeux.

1. Commencez par vous asseoir, fermez les yeux et prenez quelques respirations profondes du diaphragme. Avec chaque expiration, laissez la tension s'échapper de votre corps.

2. Posez le bout de vos doigts sous vos sourcils. Par des mouvements circulaires, massez la région en exerçant une légère pression, en allant toujours vers l'extérieur.

3. Bougez lentement autour du périmètre extérieur de vos yeux, le long de l'orbite. Attardez-vous sur chaque point pendant 10 secondes en massant de façon circulaire, toujours vers l'extérieur.

4. Terminez en abaissant vos bras de chaque côté de votre corps.

Vos yeux méritent une pause. Un simple massage peut rétablir votre vue et vous apporter un sentiment de calme intérieur.

3

envolez-vous

L e stress et la pression d'une journée de travail peuvent créer une sensation grandissante de raideur et de lourdeur dans votre cœur, votre esprit et votre corps. Lorsque vous vous sentez ainsi, que diriez-vous de vous assouplir et de vous ouvrir à l'espace?

1. Respirez ou écoutez consciemment pendant environ une minute.

2. Déterminez votre intention. Par exemple: « Que cet exercice m'apporte bien-être et légèreté. »

3. Centrez votre attention sur ce que vous ressentez dans votre corps. Reconnaissez toute impression de contraction, de retenue ou de tension.

4. Respirez ou écoutez consciemment.

5. Dirigez votre attention vers vos pensées et vos impressions. Reconnaissez tout souci, toute anxiété ou les pensées qui reviennent.

6. Respirez ou écoutez consciemment.

7. Imaginez que votre corps tendu s'assouplit et que votre cœur, votre esprit et votre corps flottent ensemble et se transforment en un joli ballon.

8. Laissez le ballon s'envoler, aussi loin et aussi haut que ce sera sécuritaire pour vous.

9. Reposez-vous dans l'espace, la tranquillité et la légèreté.

10. Terminez en revenant sur Terre, maintenant plus détendu.

4

ces rappels persistants
de la journée de travail

Vous sentez-vous parfois envahi par des rappels persistants d'événements qui se sont produits pendant la journée au travail? Si vous avez de la difficulté à chasser ces pensées de votre esprit, essayez l'exercice suivant.

1. Chaque fois que vous remarquez que des pensées ou des émotions concernant une situation au travail surgissent dans le moment présent, reconnaissez-les avec douceur, en disant quelque chose comme: « Cette histoire (ou cette pensée) à propos du travail est présente maintenant. »

2. Ancrez votre attention dans le moment présent en respirant ou en écoutant consciemment pendant environ une minute.

3. Observez les émotions plus profondes derrière ces pensées, par exemple la contrariété, l'inquiétude, la colère ou l'excitation. Nommez-les avec bienveillance et permettez-leur d'être, simplement, telles qu'elles sont, pendant que vous continuez à respirer ou à écouter consciemment.

4. Alors que vous nommez chaque pensée ou émotion, parlez-lui avec bienveillance. Dites quelque chose comme : « Je te libère » ou « Merci, mais pas maintenant. » Il est possible que vous deviez parler à chacune d'elles plusieurs fois. Faites-le toujours avec bienveillance.

5. Terminez en dirigeant votre attention vers votre respiration ou vers les sons en vous reposant dans le moment présent pendant que vous ouvrez les yeux et bougez doucement.

5

détendez-vous
à la fin de votre journée de travail

L a dernière demi-heure au travail est souvent une course effrénée pour terminer les tâches de dernière minute. Il est possible que vous vous précipitiez dans un effort désespéré pour terminer ceci, ou bâcler cela, ou sauvegarder cet autre dossier. Si vous structurez votre journée de travail pour qu'elle se termine dans le stress, elle vous laissera stressé.

Si vous pouvez réorganiser votre charge de travail en fin de journée pour qu'elle reflète une réduction progressive de vos tâches, vous commencerez à vous libérer de l'emprise de ce rythme effréné. Vers la fin de votre journée de travail, prenez cinq bonnes minutes pour penser à une façon d'ajuster vos tâches et votre rythme afin que vous puissiez ralentir plutôt que de terminer la journée dans un débordement d'activité. Au lieu de trouver plus de travail à faire ou de vous presser pour boucler une foule de détails, dites-vous que demain viendra et que votre liste de choses à terminer peut tout simplement attendre. Pendant la dernière demi-heure de votre journée de travail, essayez de réduire le nombre de tâches que vous entreprendriez normalement. Gardez celles qui sont simples et plus agréables pour la fin de la journée, ce qui vous permettra de vous détendre.

6

vous n'êtes pas seulement un expert

Vos habitudes mentales de jugement et d'autocritique peuvent créer une prison virtuelle dans laquelle la qualité de votre travail — aussi brillante soit-elle — ne semble jamais assez bonne. Si c'est votre cas, cela pourrait vous amener à sentir que *vous* non plus n'êtes pas assez bon. Le besoin insatiable d'être plus compétent et plus expert peut créer une identité (et une prison). Que diriez-vous de *ne pas* avoir à être si compétent ou si expert?

1. Respirez ou écoutez consciemment pendant environ une minute.

2. Déterminez votre intention. Par exemple : « Que cet exercice m'aide à trouver l'équilibre dans ma vie. »

3. Respirez ou écoutez consciemment encore un peu.

4. Doucement, en votre âme et conscience, posez-vous une question comme : « Qui suis-je en dehors de l'information que je gère et des talents que je possède ? » ou « Que suis-je en dehors de mon travail ? »

5. Écoutez toutes les réponses. Répétez la question si nécessaire.

6. Si cela vous est utile, gardez cette question avec vous, nuit et jour.

7

réduire la charge de travail

C omment pouvons-nous laisser le travail au travail? La liste interminable de détails et de calculs peut s'accrocher à chacune de nos pensées. Vous pourriez vous retrouver en train de réciter à voix haute votre liste mentale: « Ne pas oublier d'appeler les ressources humaines. Acheter ce nouveau logiciel. Envoyer un courriel au personnel pour lui annoncer le changement d'heure de la réunion de la semaine prochaine. » Certains d'entre nous apportent même du travail à la maison, font des courses pour le bureau ou des appels reliés au travail.

Quand vous permettez au travail de dominer vos heures de loisir, vous oubliez comment laisser le travail au travail. Pourtant, un sain équilibre entre le travail et le repos est essentiel à votre bonheur. Tout comme vous laissez le travail prendre toute la place, permettez-vous de vous plonger totalement et sans réserve dans votre temps de relaxation après le travail. Au lieu d'attendre le weekend pour profiter de la vie, prévoyez faire des activités amusantes ou agréables quand votre journée de travail se termine, comme un massage, un pédicure, ou un souper et un film.

8

surveillez votre vitesse

L a précipitation et la vitesse qui découlent d'une journée de travail sont facilement intériorisées et, comme un battement de tambour rapide, elles peuvent dicter votre rythme intérieur, même longtemps après la fin de votre journée de travail. Faites l'expérience de changer le rythme lorsque votre journée de travail s'achève.

1. Trouvez un endroit où vous ne serez pas dérangé.

2. Respirez ou écoutez consciemment pendant environ une minute.

3. Déterminez votre intention. Par exemple : « Que cet exercice m'apporte le bien-être et la joie. »

4. Dirigez votre attention sur votre esprit et votre corps. Vos pensées galopent-elles ? Votre corps ressent-il une tension quelque part ? Votre esprit ou votre corps est-il agité ?

5. Levez-vous et commencez consciemment à bouger votre corps à une vitesse qui correspond à votre rythme intérieur. Marchez, secouez-vous ou bougez pendant environ une minute, en ressentant vraiment les sensations.

6. Maintenant, prenez une minute ou deux de plus et ralentissez délibérément, doucement et consciemment jusqu'à ce que vous soyez arrêté. Assoyez-vous.

7. Relaxez et respirez consciemment.

8. Terminez en bougeant à votre nouvelle vitesse.

9

désintoxiquez-vous
de la négativité

Que vous aimiez votre travail ou non, rien n'est plus stressant que des collègues toxiques. Ces personnes négatives peuvent polluer une journée parfaitement productive et vous laisser épuisé et malheureux. Leur énergie dépressive est contagieuse et il est important de trouver des façons de vous protéger de cette morosité. L'exercice suivant vous aidera à vous immuniser contre leur toxicité.

1. Trouvez un endroit où vous ne serez pas dérangé, que vous soyez encore au bureau, seul à l'arrêt d'autobus ou assis dans votre voiture. Commencez par prendre quelques respirations profondes.

2. Éliminez cette sombre énergie en vous offrant des paroles d'encouragement désintoxicantes. Commencez par reconnaître comment les gens toxiques peuvent affecter votre humeur et déstabiliser votre journée.

3. Ensuite, puisez dans le réservoir du pardon qui est en vous et visualisez que vous libérez votre colère ou votre ressentiment envers ces personnes toxiques. Imaginez que votre bonté aimante peut guérir une partie de ce qui fait souffrir ces personnes brisées.

4. Dites-vous à haute voix : « Je suis une personne capable de compassion et d'amour. J'aime la plupart des gens. Je peux voir leurs faiblesses et je sais que leur comportement n'a rien à voir avec moi. Je suis entouré de personnes aimables et douces. »

10

chers amis et collègues

C omme toutes les relations, les relations au travail comportent certaines frictions. Serait-il possible que votre relation intérieure envers un collègue vous affecte tous les deux?

Cet exercice vous invite à faire une expérience avec la relation intérieure. Soyez attentif au moment où cet exercice commencera à avoir un effet sur la relation extérieure.

1. Respirez ou écoutez consciemment pendant environ une minute.

2. Déterminez votre intention. Par exemple : « Que cet exercice renforce mes relations au travail. »

3. Pensez à un collègue que vous aimez.

4. Imaginez que vous lui parlez d'une manière amicale, lui souhaitant du bien et lui disant : « Je te souhaite d'être heureux », « Puisses-tu être en sécurité », ou quelque chose de similaire.

5. Maintenant, songez à un collègue avec lequel vous avez des difficultés.

6. Imaginez que vous lui parlez de la même manière amicale, en utilisant vos paroles aimables. Vous n'excusez pas le mauvais comportement de cette personne, vous mettez seulement en pratique la gentillesse.

7. Terminez en étant calme. Notez et respectez toutes vos émotions et réactions à cet exercice, et apprenez de chacune d'elles.

11

détendre votre corps

Avez-vous déjà remarqué comment la dernière heure de votre journée de travail peut être la plus difficile? Vous pouvez vous sentir anxieux de manquer de temps pour terminer ce que vous avez à faire, ou vous pouvez avoir cette affreuse et traître impression que chaque minute n'en finit plus de passer. Dans un cas comme dans l'autre, vous aurez probablement emmagasiné de la tension quelque part dans votre corps. L'exercice qui suit vous aidera à vous rebrancher à votre corps et à évacuer ses poches de tension et de fatigue.

1. Trouvez un endroit confortable et calme pour vous tenir debout et respirer consciemment pendant une minute en vous concentrant pour sentir le mouvement de l'air qui entre et qui sort de vos poumons.

2. Profitez de ce moment pour identifier les endroits de votre corps où vous ressentez un serrement ou une douleur. La tension s'accumule-t-elle dans votre cou? dans vos épaules? dans vos mâchoires? dans le bas de votre dos?

3. Selon l'endroit où vous ressentez de la tension, en position debout, étirez bien cette partie de votre corps. Par exemple, vous pourriez placer vos bras au-dessus de votre tête, en allongeant graduellement chacun et en l'étirant vers le ciel en alternance gauche-droite. Ou encore, baissez doucement la tête vers votre poitrine et revenez en position normale avant de l'incliner lentement vers votre épaule gauche, puis vers votre épaule droite en restant pendant cinq secondes dans chaque position.

12

planifiez aujourd'hui pour
le lendemain — puis n'y pensez plus

L e moment présent est le seul moment. En habitant ce moment avec une plus grande conscience, vous façonnez tous ceux qui suivront. C'est le seul moyen que nous avons d'influencer l'avenir : habiter le présent et nous l'approprier.

Essayez de planifier consciemment votre prochaine journée de travail.

1. Vers la fin de votre journée de travail, offrez-vous un moment de solitude et assoyez-vous calmement.

2. Respirez ou écoutez consciemment pendant environ une minute.

3. Définissez votre intention. Par exemple : « Que cet exercice facilite mon travail. »

4. Observez votre espace de travail.

5. Demandez-vous : « Quelles sont les choses les plus importantes à faire pour moi ici demain ? »

6. Écrivez jusqu'à cinq tâches qui vous viennent à l'esprit.

7. Prenez quelques respirations conscientes.

8. Demandez-vous : « Par quoi devrais-je commencer ? » Encerclez la tâche.

9. Laissez votre liste là où vous la trouverez facilement.

10. Laissez-y également tout votre travail et tous vos soucis.

13

décontractez-vous

Même si vous n'êtes pas quelqu'un qui rapporte du travail à la maison, vous pouvez quand même avoir de la difficulté à vous décontracter. Des pensées et des conversations reliées au travail peuvent défiler dans votre tête à toute allure pendant des heures après votre journée de travail. Dans l'exercice de visualisation consciente qui suit, imaginez que vous êtes une bobine de fil qui se déroule de l'emprise du stress relié au travail.

1. Prenez une minute pour entrer en lien avec votre respiration et pour vous ancrer dans le moment présent. Vous pouvez le faire à votre bureau, dans le métro ou en marchant vers la maison.

2. Avec la première rotation de votre bobine de fil, vous déroulez votre liste de soucis épuisants. Vous vous libérez de leur emprise sur votre vie.

3. La seconde rotation de la bobine vous libère des pensées à propos du travail qu'il vous reste à faire. Demain, vous pourrez y voir; maintenant, il n'y a pas de place pour le travail.

4. Avec chaque rotation, vous vous libérez de vos pensées tourbillonnantes et vous retournez dans un endroit de sérénité rétabli.

14

les courses continuelles

Même si votre journée de travail est terminée, il vous reste parfois une foule d'endroits à aller après le travail — chez le nettoyeur, à l'épicerie, à la garderie et quoi encore. Cette liste interminable de courses peut augmenter encore plus votre niveau de stress, mais vous ne pouvez cependant pas échapper à ces tâches épuisantes. Voici quelques conseils utiles pour profiter au maximum de la semaine et tenir le stress à distance.

- Au début de la semaine, faites une liste des courses absolument prioritaires, comme aller chercher les enfants, faire l'épicerie, retourner les livres à la bibliothèque et les films que vous avez loués.

- Faites une liste séparée des courses secondaires qui n'ont pas de limites aussi strictes, comme acheter des vêtements, des biscuits pour le chien, ou des articles pour la maison. Donnez-vous la permission de reporter ces tâches moins exigeantes jusqu'au week-end.

En établissant des priorités, vous pourrez plus efficacement organiser votre retour à la maison après le travail et répartir vos courses plus également. Il est à espérer que vous aurez moins de courses à faire et plus de temps pour le plaisir au cours du week-end.

15

remise de trophées

L es juges dans votre esprit peuvent dominer votre vie intérieure. Ils peuvent dire « pas assez bon » ou « pas suffisant » à propos de plusieurs bonnes choses que vous faites. Cependant, ces juges ne sont que des habitudes intérieures de critique et d'hostilité. Vous *pouvez* les mettre à la retraite.

Cet exercice vous aidera à créer une habitude différente, celle de vous apprécier et de vous féliciter pour ce que vous êtes et ce que vous faites.

1. Offrez-vous un moment de solitude et assoyez-vous calmement.

2. Respirez ou écoutez consciemment pendant environ une minute.

3. Déterminez votre intention. Par exemple: « Que cet exercice m'aide à mieux m'apprécier. »

4. Prenez quelques respirations conscientes de plus.

5. Rappelez-vous un succès ou une chose positive que vous avez dite ou faite au travail aujourd'hui. Remarquez comment le bon résultat dépendait de vous et de vos qualités uniques.

6. Imaginez que vous vous remettez un beau trophée en reconnaissance de ce bon travail. Votre trophée comprend un merci bien sincère et de chaleureuses félicitations.

7. Permettez-vous de vous ouvrir, puis avancez pour recevoir votre trophée avec grâce.

16

l'art de la patience

C ertains d'entre nous sont plus patients que d'autres dans les files d'attente. Peu importe votre situation, vous vous retrouverez immanquablement un jour dans la file d'attente la plus longue à l'épicerie avec la caissière la plus lente, qui semble bien heureuse d'attendre une éternité pendant la vérification d'un prix qui ne vient jamais. Comment pouvez-vous désamorcer votre anxiété et adopter une attitude plus détendue pendant la longue attente qui s'annonce? L'exercice suivant pourrait prendre seulement les cinq minutes d'attente forcée avant que votre numéro ne soit appelé.

1. Commencez en prenant trois respirations profondes et lentes. Chaque fois que vous inspirez, sentez la vitalité et la force de vie de l'oxygène qui recharge votre corps et votre sang. À chaque expiration, soyez conscient de votre aptitude à décompresser et à expulser devant vous l'avalanche d'éléments stressants.

2. La première chose à reconnaître, c'est que vous avez le pouvoir de modifier la façon dont vous affrontez le stress, qu'il soit psychologique ou physiologique. Dites-vous : « En ce moment, je me sens stressé, mais je possède la capacité innée d'accepter ma situation et de trouver la patience dès maintenant. Le chemin vers la patience apporte l'harmonie. »

3. Peu importe où vous avez enterré votre patience, imaginez que le simple fait de prononcer le mot « patience » aidera à vous y guider instantanément. Vous voudrez peut-être même écrire ce mot sur un bout de papier que vous garderez dans votre porte-monnaie pour vous rappeler ces moments difficiles et remplis de stress.

17

voyageur, sois bien

L'impatience, la distraction, l'irritation — combien de fois ces énergies négatives (et leurs semblables) vous accompagnent-elles lors du retour à la maison? Ayant de nombreuses sources, ces émotions déplaisantes affectent votre transition entre le travail et la maison et donnent le ton à votre soirée. Faites l'expérience d'une énergie différente — la gentillesse — alors que vous rentrez à la maison.

1. Sur le chemin du retour, les yeux ouverts, respirez consciemment pendant environ une minute.

2. Déterminez votre intention. Par exemple: « Que cet exercice m'apporte équilibre et bien-être. »

3. Observez les gens qui vous entourent — dans les voitures, à pied, dans les autobus ou les trains.

4. Réfléchissez au fait que chacun d'eux, tout comme vous, vit des difficultés au travail comme dans sa vie personnelle.

5. Imaginez que vous parlez à chaque personne comme si elle était une bonne amie et que vous lui souhaitez du bien avec une phrase comme : « Bonne chance », « Soyez heureux » ou « Portez-vous bien. »

6. Terminez en restant assis en silence pendant quelques respirations. Observez ce que vous ressentez.

18

faites-moi rire, svp

Il peut vous sembler absurde d'inscrire le rire sur votre liste de choses à faire, mais il est fort probable que vous manquiez d'entraînement. Il est possible qu'il n'y ait pas eu de raison pour rire au travail aujourd'hui, ou dans l'actualité. Vous avez peut-être beaucoup de mal à trouver quelque chose qui vous fait rire, et il est probable que vous deviez payer le prix quand vous le découvrirez. Prenez les quelques minutes qui suivent pour faire une liste mentale ou écrite de choses qui vous font rigoler. Voici quelques idées pour vous aider à débuter votre liste de réducteurs de stress après le travail :

- Louez une comédie, même si vous l'avez déjà vue; il est certain qu'elle vous fera rire.

- Regardez une émission de *bloopers* à la télévision ou de drôles de vidéos mettant en vedette des animaux ou des humains.

- Appelez un ami qui a un sens de l'humour ou qui sait vous faire rire.

- Trouvez un site Web qui présente la blague du jour et assurez-vous de la partager avec un collègue ou un ami.

Quand le stress s'accumule, il suffit d'un court moment drôle ou absurdement ridicule pour désamorcer la situation, vous aider à passer à autre chose ou, à tout le moins, vous distraire suffisamment longtemps pour diminuer son effet sur vous.

19

quelle est votre soupape d'échappement?

M ême si vous n'êtes pas au volant, faire un trajet régulier dans un embouteillage est intolérable. C'est probablement une des dix principales causes de stress dans la vie aux États-Unis. Combinez cette frustration à celle d'être pressé et vous avez une dose fatale de contrariété chronique. Ce sont ces conditions difficiles qui posent les plus grands défis à notre paix d'esprit, où la paix intérieure semble être une île lointaine inhabitée. Ne perdez pas espoir! Vous ne pouvez peut-être pas changer votre situation, mais vous pouvez disposer d'un plan d'action rapide et facile pour désamorcer votre stress.

- Quand la circulation ralentit, que les bretelles de sortie disparaissent et que votre cœur commence à accélérer, prenez cinq lentes respirations du diaphragme, en vous pratiquant à expirer votre stress. À chaque expiration, laissez votre esprit et votre corps relaxer doucement sans perdre votre concentration sur la circulation qui vous entoure.

- La clé de cet exercice est de trouver une soupape d'échappement dans cette folie. Votre soupape pourrait être de vous brancher sur une station de radio bien animée et de chanter à tue-tête, d'écouter un livre sur cassette ou sur disque compact, de vous défouler en criant de toutes vos forces dans la voiture, ou de vous garer en toute sécurité dans une sortie et d'appeler un ami ou un membre de la famille qui sont d'un grand soutien.

- Faites une liste écrite de ces régulateurs de stress et conservez-la dans la boîte à gants afin que vous l'ayez quand vous en avez besoin.

20

vérification totale du corps

Tout au long d'une journée de travail occupée, le stress s'accumule dans votre corps. Les endroits vulnérables comme le cou, le cuir chevelu et les épaules peuvent devenir de plus en plus tendus à mesure que la pression augmente. À quelques reprises au cours de la journée, essayez de prendre contact avec votre corps pendant une minute ou deux. Chassez le stress chaque fois et quittez le travail en vous sentant plus détendu à la fin de votre journée.

1. Prenez une minute ou deux pour cesser vos activités et respirez ou écoutez consciemment pendant quelques respirations.

2. Dirigez une attention consciente sur votre corps, particulièrement sur le flot de sensations que vous ressentez.

3. Prêtez attention à des parties ou à des régions spécifiques de votre coprs qui vous font signe. Permettez-vous de ressentir les sensations qui s'y manifestent à mesure qu'elles se présentent. Rencontrez et accueillez chaque sensation avec bonté.

4. Imaginez que chaque expiration évacue avec elle toute tension inutile et que chaque inspiration apporte calme et bien-être à chaque partie tendue de votre corps.

5. Terminez en ouvrant les yeux et en bougeant doucement.

21

une marche de l'esprit

Après une journée de travail particulièrement ardue, prenez une marche de l'esprit consciente de cinq minutes avant de vous précipiter à la maison ou de faire vos courses. Ce simple exercice libérera votre esprit et vous aidera à rompre définitivement avec les irritations harcelantes au travail. Au cours de cette marche, vous voyagerez intérieurement grâce à votre esprit et ralentirez votre rythme pour vraiment regarder et reconnaître ce que vous pensez et ressentez. Pendant votre promenade mentale tranquille, prenez note des détails de ce qui vous irrite, des émotions que vous ressentez et de ce qui vous a amené là.

- Vous sentez-vous déçu, en manque d'affection ou inquiet à propos de votre santé?

- Votre journée vous a-t-elle laissé vidé, dérouté ou désorienté?

- Quelles activités créatrices pourriez-vous entre-prendre qui vous aideraient à alléger cette lour-deur?

Quand vous ralentissez votre rythme, même pour quelques minutes, afin de remarquer les mouvements de vos émotions, vous ouvrez la porte à la guérison émotion-nelle et à une perspicacité extraordinaire, lesquelles sont souvent écartées à cause d'un horaire trop chargé.

22

soyez un touriste sur le chemin du retour à la maison

Il est facile de tomber dans des habitudes d'inattention, devenant inconscient des merveilles de la vie qui se produisent pendant la routine quotidienne. Essayez quelque chose de différent. Donnez une nouvelle tournure à une action que vous accomplissez chaque jour : faites en sorte que votre trajet quotidien du retour de votre travail à la maison devienne un moment et un lieu pour entrer en lien avec les richesses de la vie qui vous entourent et en faire la découverte.

1. Avant de quitter le travail, faites une pause et prenez quelques respirations conscientes.

2. Déterminez votre intention. Par exemple : « Que cet exercice m'éveille aux merveilles de la vie. »

3. Imaginez que vous êtes un touriste et que vous n'avez pas revu cet endroit depuis des années, peut-être même jamais auparavant. Ce qui se passe ici vous intéresse beaucoup !

4. Alors que vous êtes en route vers la maison, posez un regard neuf, intéressé et curieux sur tout. Voyez combien de choses ou de personnes nouvelles et intéressantes vous pouvez remarquer.

5. Relaxez et amusez-vous !

23

sortez de la routine

D es journées atrocement longues et la pression grandissante des échéances suffisent à vous enliser dans une routine abêtissante. Cependant, il est vital pour votre santé et votre bien-être de vous exposer à de nouvelles activités. Une fois par semaine, essayez quelque chose que vous n'avez jamais fait auparavant ou que vous n'avez pas fait depuis longtemps. Voici quelques suggestions de fin de journée pour vous mettre sur la piste :

- Mangez dans un nouveau restaurant.

- Prenez des cours de danse.

- Faites une activité créative : peinture, dessin ou musique.

- Jouez au minigolf avec une personne chère.

- Assistez à un concert de musique d'une autre culture.

- Passez au marché public pour voir les derniers arrivages de produits biologiques.

- Écrivez une lettre d'amour à une personne que vous ne connaissez même pas.

Soyez créatif dans votre recherche de choses que vous n'avez jamais faites ou que vous avez très envie de refaire depuis longtemps. Une routine quotidienne peut devenir sérieusement monotone. Adonnez-vous à de nouvelles activités et ravivez votre côté aventureux.

24

méditation intérieure

L a plupart des gens qui travaillent de neuf à cinq vous diront qu'il leur faut une heure pour décompresser après le travail, mais qu'ils trouvent rarement le temps de le faire. Pendant la semaine qui vient, prenez seulement cinq minutes chaque jour pour suivre cette simple méditation intérieure.

1. Débutez par quelques respirations, lentes et conscientes, qui viennent du plus profond de votre être. Chaque respiration est un exercice pour libérer la tension accumulée et les soucis du travail.

2. Cette méditation demande de vous concentrer sur un objet imaginaire unique, comme un brin d'herbe ou la flamme d'une bougie. Choisissez l'objet sur lequel vous souhaitez vous concentrer.

3. Une fois que cet objet est clairement défini dans votre esprit, vos pensées et vos émotions se manifesteront naturellement, comme elles le font toujours, mais vous continuerez à vous recentrer sur l'objet dans votre esprit. Ce faisant, vous ramènerez votre attention au moment présent, ce qui vous aidera à vous libérer des distractions causées par les soucis, l'anxiété et les pressions extérieures. Il est possible que vous viviez un raz-de-marée de soucis ou un torrent de culpabilité parce que vous n'êtes pas plus productif, mais il est important de rester ici dans le moment présent et de vous donner l'autorisation de vous concentrer vers l'intérieur. Reconnaissez que ces préoccupations extérieures ne sont pas permanentes, qu'elles ne définissent pas qui vous êtes, et qu'elles ne peuvent contrôler votre vie à moins que vous ne leur en donniez l'occasion.

les grands espaces

Prisonnier des exigences et du rythme de votre journée, vous pouvez facilement vous sentir terriblement sous pression et crispé intérieurement. L'exercice suivant vous aidera à vous rebrancher sur votre espace intérieur et à retrouver un sentiment de calme et de bien-être.

1. Quelque temps avant de quitter le travail, ou dès votre retour à la maison, assoyez-vous confortablement dans un endroit où vous ne serez pas dérangé.

2. Respirez ou écoutez consciemment pendant environ une minute.

3. Déterminez votre intention. Par exemple : « Que cet exercice m'aide à ressentir les grands espaces et le bien-être. »

4. Fermez les yeux et imaginez-vous confortablement assis.

5. Élargissez votre vue, comme si la caméra reculait lentement.

6. Vous vous voyez devenir plus petit. Vous apercevez votre maison, votre ville, votre région qui deviennent de plus en plus petites. Continuez jusqu'à ce que vous voyiez la Terre elle-même à partir de l'espace.

7. Détendez-vous dans cet espace. Faites le plein de bien-être et de détente. Respirez consciemment, en ressentant la tranquillité et le calme intérieurs.

8. Terminez en ouvrant les yeux et en bougeant lentement. Laissez l'espace et le calme vous porter.

26

la dernière étape de la journée

Imaginez que votre trajet de retour à la maison après le travail ressemble à du lèche-vitrine; chaque devanture, trottoir, jardin, voiture et piéton deviendraient une visite dans un musée. Visualisez l'autoroute comme un monument architectural et voyez chaque édifice comme une structure splendide suscitant l'étonnement et l'émerveillement. Remarquez chaque buisson, chaque arbre et imaginez que nous ayons un mot pour chaque nuance de vert. Votre retour à la maison est une occasion de voir le monde comme si c'était la première fois. Vous pourriez observer des choses extraordinaires que vous n'avez jamais remarquées auparavant, comme un vitrail, des écoliers qui s'étreignent ou le sourire d'un étranger.

Après le travail, réglez votre esprit en mode repos et plongez dans les images et les sons de votre quartier. Rappelez-vous de relaxer, de respirer et d'apprécier cette transition vers votre soirée. C'est le moment parfait de vous affranchir du fardeau de votre travail et d'observer les gens et les lieux sur le chemin du retour vers la maison. Laissez les images et les sons calmer votre esprit. Quand vous arriverez chez vous, vous vous sentirez régénéré et prêt à accueillir tout ce qui vous attend.

*Enrichissez
votre vie familiale*

27

déverrouillez la porte de la sérénité

Juste au moment où vous pensiez avoir laissé tous vos problèmes derrière vous au travail, votre trajet de retour à la maison peut vous angoisser de nouveau. Essayez cet exercice alors que vous vous tenez encore devant la porte de votre maison, vos clés dans la main.

1. Prenez trois respirations et commencez à vous ancrer dans le moment présent. Ressentez comme c'est un soulagement d'être à la maison. Votre travail est maintenant terminé et vous êtes libre de relaxer pendant la soirée.

2. Prenez la clé de la porte et sentez-vous énergisé du fait que cette clé a le pouvoir de vous donner la liberté, de vous faire entrer dans le confort attendu de votre maison ou de votre appartement.

3. Introduisez la clé dans la serrure et tournez-la lentement. Passez tranquillement et délibérément le seuil en laissant les couches malsaines de stress à l'extérieur où elles se dissiperont. Ces pensées et émotions négatives ne sont pas les bienvenues dans votre foyer.

4. En fermant la porte derrière vous, prenez un instant pour dire adieu à ces peurs et incertitudes non désirées qui s'accrochent encore à vous.

5. Enfin, la sérénité vous attend.

28

arrivez ensemble à la maison : votre corps et votre esprit

Même lors de votre retour à la maison, l'empressement, les soucis et l'animation de la journée peuvent garder votre attention éloignée de votre corps ou du moment présent.

Essayez l'exercice suivant pour vous aider à ce que votre corps, votre esprit et votre âme arrivent unifiés à la maison.

1. Alors que vous approchez de votre maison, commencez à prêter attention consciemment.

2. Remarquez l'apparence des choses sans teinter vos observations par des jugements ou des histoires. Observez votre quartier, votre terrain, votre porte d'entrée, ou les murs extérieurs de l'édifice de votre appartement, par exemple. Voyez les couleurs, les formes et les textures.

3. Écoutez les sons du moment présent, à l'intérieur et autour de votre maison — les sons doux, les sons forts, les sons agréables et même les sons déplaisants.

4. Une fois à l'intérieur, permettez à votre attention consciente de se mettre en lien avec ce qui est présent autour de vous.

5. Marchez consciemment dans votre maison. Ou, si vous préférez, restez immobile et ouvrez votre attention, recevant ainsi tout ce que vous voyez, entendez et sentez.

6. Terminez par des remerciements, peut-être de la gratitude, en disant quelque chose comme : « Je suis à la maison. Je souhaite me connecter profondément à cette partie de ma vie. »

29

une chute d'eau pour votre esprit

Quand vous rentrez à la maison après votre journée de travail, les quelques premières minutes peuvent être difficiles. Par exemple, vous avez peut-être six messages téléphoniques non retournés, il faut sortir les ordures, les enfants sont pendus à chacune de vos jambes, réclamant votre attention immédiate, et il vous faut encore ranger l'épicerie et préparer le souper. Vous avez besoin d'un exercice conscient, rapide pour réduire le stress et vous aider à compléter les tâches de la soirée de façon calme et centrée. Prenez les quelques minutes qui suivent pour vous ancrer et effectuer plus en douceur la transition de votre journée de travail.

Cette visualisation guidée vous aidera à vous détacher symboliquement de votre travail.

1. Prenez cinq respirations profondes et relaxantes.

2. Assis confortablement, les yeux fermés, transportez votre esprit et votre corps vers un lagon calme où il y a une douce chute d'eau. De votre position, vous pouvez voir et entendre la chute d'eau rafraîchissante couler sur de vieilles roches usées et polies avec le temps.

3. Vous approchez de la chute et constatez que la température est parfaite.

4. Debout sous la chute d'eau, vous ressentez la sérénité intérieure vous envelopper, rafraîchissant et revivifiant votre corps, de la tête aux pieds.

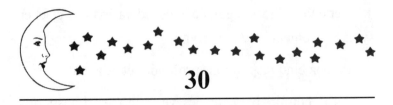

30

la cuisine pour l'âme

Dans toutes les cultures du monde, la préparation de chaque repas est de la plus grande importance — de la position de chaque plat, aux couleurs des accompagnements et aux saveurs qui se marient. En portant plus d'intérêt aux détails, vous vous reconnectez consciemment au rituel de l'heure du repas.

De bien des façons, nous sommes des magiciens dans la cuisine, transformant quelques légumes en un arrangement délicieux de saveurs et d'odeurs. Que vous mangiez seul ou avec des amis ou la famille, évaluez chaque composante de votre repas et réfléchissez à ce qu'elle présente d'appétissant ou de sain. Appréciez chacune d'elles et soyez reconnaissant pour l'incroyable diversité d'ingrédients à votre disposition. Voyez combien de couleurs différentes vous pouvez incorporer dans un repas et faites l'expérience de nouvelles façons de couper les légumes. Au lieu d'écouter les nouvelles ou la télé pendant que vous préparez le repas, écoutez de la musique douce pour vous permettre d'insuffler à votre repas de bons vœux de paix.

Mettez de l'âme et du rituel dans votre routine culinaire et préparez vos aliments avec amour, en portant une attention spéciale à la présentation. Puis, choisissez des serviettes de toile aux couleurs vives, allumez une bougie et placez des fleurs fraîches ou la photo d'une personne chère sur la table. Assurez-vous que votre repas ne nourrisse pas seulement votre corps mais aussi votre âme.

là où vit le bonheur

Au premier plan : ce qui retient votre attention. En arrière-plan : tout le reste.

Quand les soucis et les situations stressantes prennent trop d'ampleur, ils tendent à dominer le premier plan de votre expérience à chaque moment. Le simple fait de rediriger consciemment votre attention du premier plan à l'arrière-plan vous permet d'illuminer les nombreux endroits où le bonheur vit encore — même dans les moments de détresse.

1. Respirez ou écoutez consciemment pendant environ une minute.

2. Déterminez votre intention. Par exemple : « Que cet exercice apporte la paix et l'équilibre dans ma vie.»

3. Respirez ou écoutez consciemment. Nommez les soucis ou les problèmes qui occupent le premier plan de votre conscience. Laissez-les être.

4. Détournez délibérément votre attention de ces soucis vers votre arrière-plan pour la diriger plutôt vers votre environnement immédiat. Voyez, écoutez et ressentez tout ce qui vous entoure.

5. Reconnaissez et appréciez les sources de beauté et de bonheur autour de vous : les êtres aimés, les animaux de compagnie, les plantes, les beaux objets — tout.

6. Accueillez tout sentiment de joie et de gratitude qui se manifeste en vous.

32

calmez l'esprit

Ne sous-estimez jamais la valeur des petits rituels pour les tâches domestiques quotidiennes. Vous pouvez apporter une présence consciente en faisant la lessive, la vaisselle, ou en préparant le souper. Ces petites cérémonies routinières sont des occasions de calmer votre esprit et vous donnent un bref répit dans le tourbillon de la vie quotidienne. L'exercice qui suit ne demande que cinq minutes et peut être intégré à toute activité.

1. Commencez en concentrant votre attention sur votre respiration. Le rythme et la cadence de chaque respiration vous aideront à déterminer votre allure pour vos tâches de la soirée.

2. Soyez conscient de chaque détail de votre rituel. Par exemple, en faisant la lessive, triez-vous le blanc des couleurs? Observez bien les couleurs: sont-elles ternes ou brillantes? Y en a-t-il plusieurs ou quelques-unes seulement? Touchez les textures des différents tissus. Quelle est l'odeur du savon à lessive? Utilisez-vous un produit assouplissant? Quelle est son odeur? Êtes-vous une personne qui est préoccupée par les détersifs biodégradables? Pensez à tous les endroits où sont allés ces vêtements. Quels souvenirs et émotions certains de ces vêtements évoquent-ils pour vous ou pour les membres de votre famille?

33

relaxez; vous êtes à la maison

L ibérez-vous des tensions de la journée et régénérez votre corps et votre esprit en prenant cinq bonnes minutes pour vous détendre dès que vous arrivez à la maison.

1. Choisissez un endroit confortable et calme pour vous asseoir ou vous étendre, là où vous ne serez pas interrompu.

2. Respirez ou écoutez consciemment pendant environ une minute.

3. Déterminez votre intention. Par exemple : « Puisse cet exercice m'apporter le calme et la relaxation. »

4. Concentrez votre attention sur votre corps — toutes ses régions et ses parties, et même profondément à l'intérieur.

5. Imaginez que vous respirez en paix et facilement, et que cette paix remplit votre corps tout entier à chaque inspiration.

6. Imaginez que vous expulsez toutes les toxines et tout le stress de votre journée de travail à chaque expiration.

7. Quand votre esprit vagabonde, ne considérez pas cela comme une erreur. Redirigez simplement votre attention sur votre respiration, en douceur.

8. Terminez en ouvrant les yeux et en bougeant doucement.

soyez reconnaissant

A vant d'engloutir votre repas, prenez quelques minutes pour exprimer de la gratitude. Nous avons tendance à
être tellement emportés par notre routine abrutissante, la
faim qui nous tenaille, ou notre empressement à terminer
nos tâches avant notre émission de télévision favorite que
nous négligeons les nombreux bienfaits qui embellissent
notre vie. Prenez le temps d'identifier au moins cinq
points pour lesquels vous vous sentez particulièrement
reconnaissant ce soir. Le fait de ressentir et d'exprimer de
la gratitude est une façon d'élargir votre perspective et de
mettre en lumière les bonnes choses dans votre vie, si
petites soient-elles. Voici quelques exemples qui pourraient figurer sur votre liste:

- Je suis reconnaissant qu'il n'ait pas plu aujourd'hui.

- J'ai reçu un appel de mon/ma meilleur(e) ami(e).

- Je suis reconnaissant d'être en santé.

- Il y a de l'amour en abondance dans ce monde, suffisamment pour chacun d'entre nous.

- Ce repas est copieux et délicieux.

Terminez votre liste de gratitude par ces mots : « Cette vie est un miracle. Chaque instant recèle de la magie et de la beauté. Merci pour cette vie de plénitude », ou une autre affirmation semblable.

35

une bouchée savoureuse à la fois

Il arrive souvent que nous mangions inconsciemment en lisant ou en regardant la télévision, ou même en conduisant. Manger consciemment en prêtant une attention particulière au simple fait de mastiquer peut être une façon essentielle d'entrer plus profondément en relation avec votre corps et votre santé. Manger consciemment signifie écarter toute distraction et profiter de votre repas en étant pleinement conscient de tous vos sens — la vue, l'ouïe, l'odorat, le toucher et le goût — et de chacun de vos mouvements. Essayez cet exercice avec votre toute première bouchée de nourriture.

1. Commencez par trois profondes respirations détendues lorsque que vous vous assoyez pour le repas.

2. Remarquez la façon dont vous tenez vos ustensiles. Êtes-vous droitier ou gaucher?

3. Qu'aimeriez-vous prendre pour votre première bouchée? la salade? le plat principal? le plat d'accompagnement?

4. Observez la quantité de nourriture sur votre fourchette. Remarquez les formes, les textures et les couleurs.

5. Quels arômes de ce repas vous plaisent le plus? Vous rappellent-ils quelque chose?

6. En prenant cette première bouchée, mangez lentement et méthodiquement, en mastiquant au moins vingt fois avant d'avaler.

7. Prenez le temps de savourer chaque bouchée et d'expérimenter pleinement toutes les sensations reliées au goût.

36

n'attendez pas pour rire

L e rire a de nombreux effets positifs, incluant la stimulation du cœur et des poumons, et l'oubli de nos sentiments de peur, d'isolement et de solitude. Et voici un secret à propos du rire : vous n'avez pas à attendre que quelque chose de drôle se produise pour rire !

Offrez-vous une pause rire chaque fois que vous en avez besoin. Cet exercice est une façon d'y parvenir, mais sentez-vous libre de la modifier ou d'explorer le rire de la manière qui vous plaît.

1. Ramenez-vous au moment présent en respirant consciemment ou en écoutant consciemment pendant environ une minute.

2. Quand vous êtes prêt, laissez les premières vagues de rire s'infiltrer en vous.

3. Faites les sons du rire, en allant les chercher profondément en vous.

4. Vous pouvez commencer par un doux hi-hi, un déferlant ha-ha ou un profond ho-ho.

5. Peu importe comment vous débutez, riez de tout votre cœur, en permettant à l'énergie du rire de vous mener à son gré. Laissez le rire augmenter jusqu'à ce qu'il prenne possession de votre corps, le fasse tressauter, vous fasse taper des pieds et agiter vos bras.

6. Amusez-vous!

s.o.s. : messagerie surchargée !

Plusieurs d'entre nous sont tellement dépendants des nouvelles technologies instantanées et efficaces qu'ils ont peine à se rappeler comment ils vivaient sans cet attirail soi-disant essentiel — la messagerie vocale, les téléphones cellulaires, les courriels, les télécopieurs et autres. Pourtant, il fut un temps où les gens n'avaient pas à vérifier leurs messages en dix endroits différents, une époque où tout le monde devait compter sur le service postal. S'il ne nous est pas possible de retourner à cette époque plus simple, nous pouvons trouver des façons de réduire le niveau de stress auquel contribuent ces technologies. Prenez quelques minutes chaque jour pour trouver des façons de réduire le fouillis technologique. Vous pourriez peut-être même gagner chaque soir quelques heures supplémentaires de relaxation. Voici quelques suggestions utiles pour vous permettre de démarrer.

• Courriel: n'hésitez pas à réduire la quantité de courriels que vous recevez (même ceux des amis et de la famille). Un court et simple message pour demander l'aide des gens afin de réduire le nombre excessif d'heures passées devant l'ordinateur fera beaucoup de chemin.

• Courriel: détruisez immédiatement tous les courriels suspects, *spam* ou autres sollicitations non désirées.

• Messagerie vocale ou téléphone cellulaire: modifiez votre programmation afin de donner seulement trente secondes aux gens pour laisser un message (et modifiez votre message d'accueil pour les avertir de ce fait).

temps d'arrêt !

Plusieurs situations pénibles peuvent gâcher votre tranquillité à la maison : votre relevé de cartes de crédit, une pile de vaisselle sale ou un frigo vide. Parfois, il suffit de peu de choses pour vous faire perdre patience et même la sonnerie du téléphone peut vous mettre de mauvaise humeur. Quand vous sentez que la pression monte, vous méritez gratuitement un temps d'arrêt.

L'exercice qui suit aidera à vous guider vers un endroit empreint de calme. Rappelez-vous de maintenir une conscience du moment présent en prenant quelques respirations profondes du diaphragme et en déterminant votre intention.

1. Fermez d'abord la sonnerie du téléphone. Trouvez ensuite un endroit tranquille où vous pourrez vous asseoir ou vous étendre confortablement.

2. Puis, commencez cet exercice visant à calmer votre esprit en vous disant quelque chose comme : « Les messages peuvent attendre. La vaisselle peut attendre. Le chien peut attendre. Plus tard, il y aura du temps pour voir à tout ce qui doit être fait. »

3. Faites l'affirmation suivante : « Par cet exercice, je vais chercher au plus profond de mon esprit et de mon corps un plus grand bien-être et un plus grand calme. Je cultive le calme intérieur. »

4. Cette douceur provenant de l'intérieur imprègnera le reste de votre nuit.

39

offrez-vous le cadeau
de l'espace intérieur

L'habitude de répondre aux courriels et aux appels téléphoniques chaque jour peut conduire à une érosion de votre impression d'intimité, de calme intérieur et d'espace personnel bien défini. Peu de temps après que vous êtes rentré à la maison et que vous êtes bien installé, offrez-vous le cadeau de l'espace et de l'intimité personnels en reportant à plus tard les courriels et les appels téléphoniques.

Voici un exercice pour vous aider à prendre du temps pour vous.

1. Assis confortablement, respirez ou écoutez consciemment pendant environ une minute.

2. Déterminez votre intention. Par exemple: « Que cet exercice m'apporte une plus grande paix et un plus grand bien-être. »

3. Offrez-vous le cadeau d'une période de temps spécifique, qu'il s'agisse d'une heure ou deux, ou de toute la soirée. Pendant ce temps, oubliez consciemment les courriels et laissez votre répondeur s'occuper des appels téléphoniques.

4. Observez vos réactions intérieures au cadeau d'espace et de temps. Accueillez toutes les émotions qui se présentent. Vous éprouverez peut-être du soulagement, de la gratitude, un sentiment de pouvoir ou peut-être de l'ennui, de la culpabilité ou de l'inquiétude. Toute réaction, positive ou négative, peut vous apprendre quelque chose.

5. Permettez à l'espace et au temps que vous vous êtes accordés, et aux découvertes qui découlent de ce cadeau, de vous apporter paix et tranquillité.

40

trousse de secours

L e stress chronique se manifeste différemment, mentalement et physiquement, pour chaque personne, mais un exutoire commun pour plusieurs est de se tourner vers des choix alimentaires malsains. Ou vous pouvez même être si occupé que vous sautez des repas. Malgré ce que nous savons sur le besoin de nourrir notre corps pour une santé optimale, chaque personne a son point faible et ne peut résister à la tentation à l'occasion — un petit pain au lait pour déjeuner, les beignets gratuits au travail, un morceau de chocolat après le repas du midi ou de la crème glacée avant d'aller au lit. Pas étonnant que tant de personnes soient esclaves d'une dépendance au sucre. Prenez cinq minutes pour planifier et emportez un casse-croûte de secours chaque jour. Les aliments suivants peuvent être consommés pendant la journée ou la soirée, mais ils ne constituent pas des substituts à vos repas réguliers.

- Coupez vos légumes favoris et emportez une trempette, comme une purée de pois chiches.

- Des branches de céleri et du beurre d'arachide constituent toujours une combinaison savoureuse.

- Des fruits secs, tels des raisins, des abricots et des cerises, sont faciles à emporter avec vous.

- Le yogourt est une collation saine qui vous donne aussi de l'énergie.

- Des pommes avec des noix, des amandes ou des graines de citrouille sont une bonne gâterie.

41

habitez l'espace de votre cuisine

L es gestes de la vie quotidienne recèlent des trésors cachés. En prêtant attention, vous découvrirez leurs richesses. Habitez consciemment l'espace de votre cuisine et restez alerte pendant toute la préparation des repas. Ce faisant, vous pourrez découvrir des merveilles !

1. Abordez consciemment la préparation de votre repas en fixant votre attention par la respiration ou l'écoute consciente au moment de commencer et de temps à autre pendant que vous cuisinez.

2. Prêtez une attention particulière à votre « météo interne » pendant que vous procédez — toute impres-

sion de hâte, de souci, ou quoi que ce soit d'autre que vous pourriez ressentir.

3. Tout en travaillant, prenez une respiration consciente et observez ce que vous faites — par exemple, couper des légumes ou brasser la soupe.

4. Accueillez toutes les sensations, les odeurs et les sons de la cuisine : voyez les couleurs des différents ingrédients et observez comme elles changent à mesure que les aliments cuisent. Écoutez le grésillement quand vous ajoutez des ingrédients dans un poêlon chaud. Humez les arômes des herbes et des épices et sentez comme votre couteau préféré convient bien à votre main. Goûtez de temps à autre et considérez comment la cuisson change à la fois le goût et la texture des aliments.

5. Bougez volontairement, prêtez une attention bienveillante à la tâche en cours, et réfugiez-vous dans votre espace intérieur pendant que vous travaillez. En étant présent, découvrez et appréciez !

42

votre corbeille à soucis

S i vous avez hérité du gène de l'inquiétude, vous connaissez alors très bien les ruminations de l'esprit qui peuvent hanter une soirée tranquille à la maison. Vous vous inquiétez du nouveau petit bruit étrange qu'émet la voiture. Vous vous inquiétez à propos d'une conversation difficile avec votre patron. Vous vous retrouvez peut-être sur un manège de soucis, tournant en rond sans faire le moindre progrès.

L'exercice qui suit vous aidera à cesser de tourner en rond et à vous libérer de ces pensées ennuyeuses.

1. Commencez par dresser la liste mentale ou écrite de tous vos soucis, grands ou petits, sensés ou absurdes.

2. Visualisez ou trouvez une petite corbeille à papier ou une boîte dans laquelle vous pouvez déposer vos soucis.

3. Imaginez que vous déchirez chaque souci ou chaque peur, et lancez-les un à un dans votre corbeille. Si vous avez préparé une liste écrite, lancez également celle-ci dans la corbeille.

4. Dites ces mots à voix haute : « Je lâche prise sur ces pensées persistantes. Certaines sont importantes, d'autres, pas. Mais, en ce moment même, je reprends mon droit de profiter de la vie, de vivre pleinement et de me sentir en sécurité ce soir. »

43

la patrouille du désordre

Une maison en désordre peut amplifier toute impression de se sentir débordé et augmenter le stress de la journée. Quelques minutes consacrées à réduire le désordre dans votre maison peuvent faire beaucoup pour diminuer votre anxiété. Avant d'entreprendre votre routine de la soirée, prenez les cinq prochaines minutes pour mettre de l'ordre et organiser les choses. Même un peu de rangement vous assurera de passer une soirée plus agréable et, avec un peu de chance, une maison plus à l'ordre vous accueillera quand vous rentrerez demain. Vous ne pouvez pas ranger toute la maison en cinq minutes, mais quelques petits ajustements mineurs vous aideront à retrouver une impression de bien-être et de tranquillité.

- Jetez dans le bac à recyclage tous les vieux magazines et journaux qui traînent.

- Videz l'égouttoir à vaisselle ou le lave-vaisselle.

- Débarrassez les comptoirs de cuisine et la table, et rangez les articles épars ou les restes.

- Mettez les vêtements sales dans le panier à lessive.

- Rassemblez sur votre bureau tous les papiers, les coupons et le courrier en une pile bien ordonnée.

44

lavez la vaisselle consciemment

Qu'est-ce qui fait qu'une tâche ménagère est une tâche ménagère? Ne pas avoir envie de la faire? Souhaiter être ailleurs? Penser qu'il y a des choses plus importantes à exécuter?

De telles attitudes tendent à attiser les habitudes d'inattention et les sentiments de frustration. Explorez le pouvoir de la conscientisation — en prêtant attention délibérément comme si cela importait vraiment — pour transformer une tâche ménagère en une activité intéressante et plaisante. Dans cet exercice, vous ferez la vaisselle consciemment, mais vous pouvez également appliquer cette même méthode à d'autres tâches ménagères.

1. En commençant à laver la vaisselle, vérifiez votre « météo interne ». Accueillez et laissez se manifester toutes sensations ou pensées présentes, sans vous juger.

2. Pendant que vous exécutez cette tâche, faites une pause à l'occasion et prenez quelques respirations conscientes.

3. Ouvrez votre conscience à la diversité des expériences qui se manifestent en faisant la vaisselle. Remarquez toutes vos sensations; par exemple l'humidité, la chaleur, la fraîcheur ou la lourdeur.

4. Prêtez attention aux sons et aux odeurs qui se manifestent. Soyez également conscient de vos pensées et de vos émotions.

5. Quand votre attention dérive ou que votre cerveau commence à vous parler, faites preuve de bonté. Reconnaissez avec douceur que cela s'est produit et ramenez votre attention vers l'expérience en cours.

45

des espaces sacrés

La plupart d'entre nous comprennent qu'un autel est un endroit ou un espace réservé où sont célébrées les cérémonies spirituelles. Plusieurs personnes considèrent également leur foyer comme un temple, un sanctuaire à l'abri du fardeau des pressions extérieures. De plus en plus de gens créent des autels dans leur foyer pour méditer ou prier, ou simplement pour y exposer des objets sacrés. Les autels peuvent donner un sens et une intention importantes à votre vie à la maison. Aujourd'hui, prenez quelques minutes pour entreprendre la construction de votre autel personnel. Voici quelques idées pour vous aider à démarrer :

- Pensez au lieu où vous aimeriez installer votre autel — peut-être dans votre jardin, dans votre salle à manger ou votre chambre, ou même sur une étagère.

- Réunissez les objets requis pour créer cet espace sacré — ce pourrait être une petite table, une belle pièce de tissu, des cristaux, des chandelles, de l'encens, des coquillages, des photos d'êtres chers ou tout objet ayant de la valeur à vos yeux ou qui évoque un souvenir important.

- Réfléchissez à ce que votre autel représente pour vous. Est-ce l'endroit où vous venez pour vous ancrer avec vous-même et avec l'Univers? Est-ce l'endroit où vous aimeriez prier? Ou encore, venez-vous ici pour vous mettre en lien avec les grandes forces de la nature?

46

vous êtes à la maison;
c'est le moment de changer
de vêtements!

L es vêtements que nous portons selon les situations représentent souvent différents aspects de nous-mêmes. Oubliez la grande activité, la hâte et les soucis de la journée de travail alors que vous changez consciemment de vêtements peu après votre arrivée à la maison.

1. Au moment où vous commencez à enlever vos vêtements de travail, prenez quelques respirations conscientes et reconnaissez que cela fait partie de votre transition vers la vie à la maison.

2. Déterminez votre intention en disant, par exemple : « Que le fait de changer de vêtements plus consciemment m'amène dans le moment présent et me donne liberté et joie. »

3. Reconnaissez consciemment chaque geste alors que vous changez de vêtements, en demeurant présent le plus possible à ce que vous faites. Voici des exemples : « Maintenant, je retire mon manteau. Maintenant, je le suspends. » « Maintenant, je retire mes chaussures. Maintenant, je range mes chaussures. » « Maintenant, j'enfile mon chandail. » « Maintenant, j'enfile mes jeans. »

4. N'oubliez pas de prendre une respiration consciente de temps à autre.

5. Terminez en reconnaissant que vous êtes vraiment à la maison.

changez la routine

L'envie de vous effondrer devant la télé après le souper peut devenir une seconde nature et un élément de votre routine de la soirée. Malheureusement, la télé peut dévorer votre temps libre et, si vous ne faites pas attention à ce que vous regardez, vous pourriez vous retrouver à écouter tout et n'importe quoi. Changez votre routine ce soir et limitez le temps que vous passez devant la télé. Faites une liste mentale ou écrite d'options plus satisfaisantes sur la manière de passer votre soirée. Essayez de penser à des activités qui vous apporteront une satisfaction à plus long terme et un plaisir plus durable. Voici quelques suggestions pour vous inspirer et vous motiver:

- Faites une marche de détente ou du jogging dans votre quartier.

- Notez vos pensées et vos émotions dans un journal.

- Occupez-vous à une activité de création : peinture, dessin, musique, ébénisterie ou autre travail manuel.

- Prenez un bain chaud.

- Méditez.

- Faites de l'exercice.

- Lisez un livre.

- Ramassez de vieux vêtements et autres articles pour en faire don à une œuvre de charité.

- Entreprenez un nouveau projet, comme le classement de vos photos.

- Donnez-vous la permission de simplement rien faire.

48

du plaisir sain

Avez-vous déjà fait une activité amusante pour vous rendre compte par la suite que votre attention était ailleurs? Prenez cinq bonnes minutes pour explorer le pouvoir contenu dans le fait de prêter volontairement attention lorsque vous avez du plaisir. Permettez à votre être *tout entier* d'avoir du plaisir!

1. En position assise, respirez ou écoutez consciemment pendant environ une minute.

2. Déterminez votre intention. Par exemple: « Que cet exercice éveille la joie et le bien-être en moi. »

3. Choisissez une activité plaisante que vous aimez particulièrement et pratiquez-la.

4. Pendant les quelques minutes qui suivent, ouvrez votre conscience et participez à l'expérience alors qu'elle se révèle et envahit tous vos sens. Remarquez les sensations, les sons, les odeurs et les goûts; accueillez vos pensées; reconnaissez et recevez toutes les émotions plaisantes qui se manifestent.

5. En prêtant volontairement une attention sans jugement, laissez *toute* l'expérience venir à vous par *tous* vos sens.

6. Chaque fois que votre esprit s'égare, ramenez votre attention à votre activité amusante, sans aucun jugement ou pensée critique. Vous *n'avez pas* commis une erreur simplement parce que votre attention s'est relâchée.

7. En habitant tout votre être — votre cœur, votre esprit et votre corps — vous êtes présent au plaisir!

49

les mésaventures de la soirée

Quand le stress s'empare de vous dans votre propre maison, il peut vous tenir en otage pour le reste de la soirée. Le stress peut provenir d'une querelle avec une personne chère, d'une facture plus élevée que prévue, d'une panne de voiture, ou d'une peine d'amour. Lors de telles soirées, votre seule source de force et de compréhension peut se trouver dans votre capacité d'accepter ce qui s'est passé et de lâcher prise sur le contrôle (et sur le désir de contrôler). Dans nos vies pressées et chaotiques où nous jonglons habituellement avec de multiples tâches, nous nous illusionnons souvent en ayant le sentiment que nous sommes en contrôle. Pourtant, la plupart d'entre nous sont parfaitement conscients qu'il y a bien des choses qui échappent à leur contrôle. Les affirmations positives qui suivent pourraient vous aider à retrouver équilibre et compassion, et à accepter ce que vous ne pouvez pas changer. N'oubliez pas de porter attention sur votre respiration, en inspirant de la force et de l'empathie et en expirant le désir de tout maîtriser. Répétez une ou toutes les affirmations suivantes à haute voix, ou créez les vôtres :

- « La Terre ne cessera pas de tourner si j'attends jusqu'à demain matin pour m'occuper de cette situation. »

- « Je suis impuissant devant cette situation et il n'y a rien de mal à cela. J'apprends à lâcher prise. »

- « La journée d'aujourd'hui a été difficile et j'aimerais bien pouvoir changer ma situation. Cependant, demain sera un nouveau jour pour recommencer à neuf. Demain apportera espoir et promesses. »

entre deux mondes

V otre relation avec le monde extérieur est un reflet direct de votre monde intérieur. Si, par exemple, vous êtes en colère, vous pourriez interagir avec le monde autour de vous de façons caustique et insensible. Ou si vous avez peur, il est peu probable que vous vous comportiez avec confiance dans le monde.

Cet exercice vous invite à explorer comment le fait de cultiver vos sentiments intérieurs de bonté peut influencer votre relation au monde extérieur.

1. Assoyez-vous confortablement, à l'intérieur ou à l'extérieur.

2. Fermez les yeux, et respirez ou écoutez consciemment pendant environ une minute.

3. Déterminez votre intention. Par exemple: « Que cet exercice m'aide à m'ouvrir à un respect admiratif et à la beauté dans ma vie. »

4. Respirez ou écoutez consciemment encore un peu.

5. Ouvrez les yeux et regardez attentivement autour de vous.

6. Imaginez que vous vous adressez avec douceur et gratitude à ce qui se présente à vous — ce que vous voyez, ce que vous entendez, ce que vous ressentez, tout. Dites: « Merci. Puissiez-vous être bien. Puissiez-vous être en sécurité. »

7. Reconnaissez vos réactions intérieures. Continuez à remercier le monde autour de vous et à lui souhaiter du bien.

8. Terminez en restant assis, tranquille. Que ressentez-vous?

Reconnectez-vous avec vous-même et les autres

dites bonjour

L orsque vous arrivez à la maison, au moment où vous voyez votre être aimé (ou vos êtres aimés) pour la première fois, mettez délibérément un terme à la course et à l'agitation de votre journée et ramenez votre attention au moment présent et vers ceux et celles qui sont devant vous.

1. Prêtez attention avec douceur et intention, en ayant un bon contact visuel avec chacun de vos êtres chers.

2. En respirant consciemment, laissez chaque respiration vous apporter calme et bien-être, et approfondir votre lien avec ce qui se passe maintenant, au moment présent.

3. Permettez-vous de vraiment voir et accueillir vos êtres chers. Il pourrait être utile de vous parler doucement, par exemple : « Voici mon/ma partenaire (ou ma famille) qui m'aime et me soutient » ou « Nous sommes de nouveau ensemble et je sais que ce ne sera pas toujours ainsi. »

4. Dites bonjour de tout votre cœur. Parlez à chacun du fond de votre cœur. Étreignez chacun de tout votre cœur.

5. Laissez votre cœur s'ouvrir à ce moment précieux.

stimuler la sensualité

Chacun de nous possède un côté sensuel. Bien que les principaux médias ou la société puissent la diaboliser, notre sexualité est une partie fondamentale et naturelle de notre être; elle se reflète dans notre façon d'aborder la vie, dans notre manière de créer des relations et comment nous entrons en intimité avec les autres et nous-mêmes. Même s'il nous arrive de négliger ou d'oublier nos besoins de sensualité, la plupart d'entre nous éprouvent un indéniable besoin et une soif d'expériences sensuelles dans leur vie.

Cet exercice vous propose de découvrir des façons imaginatives d'exploiter votre sensualité et de faire rayonner la sorte d'énergie sensuelle à laquelle vous aspirez le plus. Prenez quelques instants de calme et de réflexion avec vous-même pour dresser une liste mentale ou écrite de ce que vous seriez prêt à essayer pour augmenter votre vitalité sensuelle intérieure. Voici quelques idées pour commencer :

- Donnez-vous un massage apaisant sur tout le corps avec une lotion parfumée. En massant chaque partie, rendez hommage et appréciez cette partie de votre corps pour tout le dur travail qu'elle fait pour vous.

- Complimentez-vous sur cinq parties de votre corps qui font que vous êtes une personne unique et belle.

- Repensez à un moment où une partie de votre corps vous a agréablement surpris, ou quand une personne vous a fait un compliment à propos de votre corps ou de votre sensualité.

faites preuve d'indulgence

C omment répondez-vous habituellement à vos sentiments de souffrance et de vulnérabilité? Beaucoup de
gens réagissent à la souffrance intérieure par le déni ou le
rejet plutôt qu'avec douceur et compassion envers eux-
mêmes. Si c'est votre cas, cet exercice vous permettra de
ressentir ce qu'est l'indulgence à votre égard.

1. Respirez ou écoutez consciemment pendant environ
    une minute.

2. Déterminez votre intention. Par exemple: « Que cet
    exercice m'apporte bien-être et paix. »

3. Respirez ou écoutez consciemment encore un peu.

4. Évoquez une difficulté ou une souffrance dans votre vie.

5. Ouvrez-vous et ressentez votre détresse autant que vous le pouvez, de façon sécuritaire pour vous.

6. Comme un parent tiendrait son enfant, imaginez que vous vous prenez tendrement dans les bras avec votre souffrance. Dites doucement quelque chose comme : « Tout est bien, je suis bien » ou « Je me souhaite d'être bien et en sécurité. » Ou choisissez des mots, quels qu'ils soient, qui vous réconforteront.

7. Répétez votre phrase aussi longtemps que vous le voudrez.

8. Gardez-la avec vous, jour et nuit.

54

des épaules pleines d'amour
et de tendresse

Certains jours plus que d'autres, vous pouvez vous sentir enlisé par la souffrance ou la tristesse. Il est difficile de se débarrasser facilement de la dépression sans aide et sans soutien. Le *tonglen*, un exercice bouddhiste, consiste en une visualisation puissante par laquelle une personne prend en fait sur elle toute la souffrance du monde. Lorsqu'on connaît le *tonglen* — comment les autres prennent notre souffrance — on peut imaginer ce soutien aimant et cette compassion qui nous sont disponibles en tout temps.

Cet exercice demande qu'on imagine le monde entier endossant une partie de notre souffrance et de notre douleur pendant un moment. Prenez ces cinq minutes pour imaginer qu'une autre personne vous apporte le soutien aimant et le réconfort dont vous avez besoin en cet instant. Dans le monde entier, il y a une abondance de tendresse et de compassion pour tout ce que vous vivez — suffisamment pour chacun de nous. Accéder à une visualisation de ce réseau global étendu de soutien vous aidera à vous sentir moins seul et moins isolé. Évoquez cette imagerie d'un millier de douces personnes sur la planète qui s'occupent de vous pour alléger votre fardeau et vous apporter un sentiment de réconfort.

une communication plus profonde

T rop souvent, nous communiquons sans être présents: nous entendons sans vraiment écouter, et parfois nous parlons sans vraiment réfléchir. La prochaine fois que vous communiquerez avec quelqu'un, par téléphone, par courriel ou messagerie-texte, ou face à face, utilisez l'exercice suivant pour explorer une relation plus profonde.

1. Prenez quelques respirations conscientes en vous concentrant sur l'autre personne.

2. Relaxez, cessez toute autre activité, et concentrez-vous vraiment sur ce que l'autre personne vous com-

munique. Écoutez ses paroles, les intonations, les pauses. Si sa communication est écrite, lisez attentivement chaque mot.

3. Pendant que vous écoutez ou lisez, ancrez-vous dans le moment présent par quelques respirations conscientes occasionnelles.

4. Observez comment la tendance à préparer votre réponse, à discuter, à être d'accord ou à créer des scénarios dans votre esprit éloigne votre attention de ce que l'autre personne vous communique. Autant qu'il vous est possible, écartez toutes ces distractions. Écoutez simplement de tout votre être.

5. Lorsque vous répondez, consacrez autant d'attention et d'intention à votre propre communication. Ne débitez pas seulement une réponse toute faite ; offrez une réponse qui reconnaît ce que l'autre vous a dit et qui est pertinente à ce sujet. Laissez vos mots venir du plus profond de vous-même. Vous pourriez être étonné.

56

la permission de pleurer

Quand avez-vous pleuré à chaudes larmes la dernière fois? Vous avez peut-être pleuré pendant un film sentimental, après une rupture ou en évoquant le souvenir de jours meilleurs. Vous donnez-vous la permission de pleurer et de vous libérer? Ou bien retenez-vous vos larmes et refoulez-vous vos émotions? Même si pleurer vous donne l'impression de perdre le contrôle, cela libère votre esprit et votre corps du besoin constant d'être en contrôle de vos émotions. Pleurer peut guérir l'âme, et les enfants semblent connaître instinctivement les bienfaits des pleurs. Parfois, le meilleur remède à vos malheurs est de vous offrir une bonne vieille crise de larmes.

Prenez un moment pour réfléchir aux innombrables émotions que vous refoulez au cours d'une journée pour garder votre travail, vos relations et vos responsabilités. Libérez ces émotions en vous donnant la permission de sangloter, de verser des larmes, de vous plaindre et de vous complaire dans l'apitoiement aussi longtemps que vous en avez besoin. Après avoir passé assez de temps à vous lamenter sur vos malheurs, il est important de prendre soin de vous — être bon et compatissant, aimant et doux envers vous-même, comme un parent le serait pour un enfant en peine. Poursuivez par une étreinte, une tasse de chocolat chaud, un appel à un ami compatissant ou un bain réconfortant.

57

appréciez une personne chère

L e stress, l'empressement et les soucis de la vie quotidienne peuvent entraîner des sentiments d'éloignement et
d'isolement, même de la part de ceux qui nous sont les
plus chers. Pour rétablir votre sentiment de lien avec ceux
que vous aimez, la clé est une attention pleine de bonté.
Cet exercice vous aidera à raviver votre appréciation pour
une personne qui vous est chère et à vous reconnecter à
elle.

1. Avant de quitter le travail le soir, prenez le temps de
   vous asseoir tranquillement.

2. Respirez ou écoutez consciemment pendant environ une minute.

3. Déterminez votre intention. Par exemple : « Que cet exercice m'aide à ressentir un lien plus profond avec _____ (dites son nom). »

4. Évoquez dans votre cœur et votre esprit l'image de la personne aimée que vous avez nommée.

5. Méditez sur la façon dont cette personne vous aime et vous soutient. Évoquez un geste précis ou des paroles de bonté.

6. Laissez monter en vous et accueillez tout sentiment qui se manifeste, incluant l'amour, l'appréciation et la gratitude.

7. La prochaine fois que vous verrez la personne aimée, serrez-la dans vos bras, consciemment, et dites merci.

un mantra pour le corps

M ême après la fin de votre journée de travail, vous pourriez constater que vous ressentez toute la douleur et la tension musculaire accumulées au cours de la journée. Tout en sentant un certain soulagement d'être enfin à la maison, vous éprouvez peut-être une raideur dans votre cou et des douleurs lancinantes au dos. L'autohypnose qui suit vous guidera afin de visualiser la capacité de votre corps à réduire la tension musculaire et la fatigue. Vous pouvez procéder à cette visualisation en position assise ou debout, celle qui vous conviendra le mieux.

1. Prenez quelques respirations lentes et relaxantes avant de débuter.

2. Sondez votre corps pour identifier les endroits où vous accumulez votre tension — les pieds, le dos, les bras, les épaules ou autres.

3. Une fois que vous avez identifié ces endroits spécifiques, commencez à entraîner votre corps à relaxer en disant : « J'envoie de la paix et du réconfort partout dans mon corps. Quand je suis dans un état d'esprit détendu, mon corps travaille de lui-même et instinctivement apaise mes maux et mes douleurs. »

4. Alors que vous commencez à sentir un relâchement de la tension dans votre corps, réaffirmez en vous-même : « Je me sentirai plus pimpant et détendu après cet exercice conscient. »

59

débranchez ce message négatif

L a voie rapide vers la relaxation ne vient pas avec une simple carte routière. La voix intérieure qui critique, les soucis angoissants, et une liste interminable de tâches à faire peuvent nuire à votre capacité de vous détendre. La méditation qui suit vise à vous libérer de ces pièges de l'esprit afin que vous puissiez parvenir à un état de calme véritable.

1. Trouvez un endroit confortable pour vous asseoir, puis comptez lentement à rebours à partir de dix, en restant en accord avec le rythme de votre respiration.

2. Choisissez un seul mot, ou une seule phrase, qui accompagne chaque inspiration, et un autre pour

chaque expiration. Par exemple, chaque inspiration pourra être souligné par « patience » et chaque expiration par « persévérance. » Ou encore, concentrez-vous sur « Je suis calme » en inspirant et sur « Je suis bien » en expirant.

3. En inspirant et en expirant, commencez à vous concentrer sur vos mots :

    « Calme » en inspirant.

    « Paix » en expirant.

    « Calme » en inspirant.

    « Paix » en expirant, et ainsi de suite.

4. Lorsque votre esprit vagabonde, revenez doucement à vos mots et à votre respiration pour rétablir votre concentration.

5. En terminant votre méditation, prenez conscience de votre environnement, des images et des sons, et de la détente de votre esprit et de votre corps.

offrez de l'aide

Faire quelque chose pour les autres est une belle façon d'établir un lien et de vous éloigner de tout sentiment d'isolement et de chagrin. Expérimentez l'exercice suivant. Non seulement sera-t-il profitable à votre être aimé, mais c'est aussi une voie vers votre propre découverte de soi.

1. Prêtez attention lorsque quelqu'un a besoin d'aide — pour la vaisselle, la lessive, les devoirs, toute autre chose.

2. Offrez votre aide.

3. **Respirez consciemment à quelques reprises.** Portez une attention consciente sur votre vie intérieure alors que vous vous joignez à la tâche.

4. **Reconnaissez toute résistance intérieure que vous ressentez.** Parlez-lui doucement. Dites quelque chose comme : « Je sais que tu es troublé. Ne t'inquiète pas, nous allons nous occuper de toi. » Parlez-vous avec douceur.

5. **Dirigez votre attention sur la tâche elle-même.** Soyez présent à votre travail et portez consciemment attention sur chaque détail.

6. **De temps à autre, offrez un sourire à la tâche, à votre partenaire et à vous-même.**

7. **Laissez votre esprit et votre cœur s'ouvrir et s'alléger alors que vous travaillez.** Ressentez la satisfaction que vous retirez en aidant l'être aimé.

61

des étangs de bonté

L e lien corps-esprit est très bien documenté dans la science médicale et par les professionnels de la santé. Abordez les éléments stressants qui causent vos douleurs musculaires et rendent vos nerfs à vif par une approche holistique qui s'adresse à votre être tout entier — le physique, le mental, le psychologique et le spirituel. Quand vous manifestez de la compassion envers vous-même, vous vous engagez directement dans une intimité avec toute forme de vie sur la planète, et même dans le cosmos. Lorsque vous êtes doux et tendre envers vous, vous vous exercez à faire de même avec les autres et avec le monde naturel qui vous entoure. Faites l'expérience suivante de la visualisation corps-esprit pour vous guérir.

1. Assoyez-vous confortablement dans une pièce tranquille.

2. Visualisez une lumière dorée qui vous enveloppe dans les volutes d'un nuage de réconfort.

3. Imaginez que vous êtes soulevé d'une piste de frustration et de muscles endoloris et que vous êtes transporté vers un étang rempli de courants chauds de bonté et de bienveillance qui coulent sur vos épaules.

4. Votre toilette de l'esprit dans cet étang de bonté apaisera vos muscles endoloris et rétablira une sensation de calme et de souplesse dans votre corps.

5. De retour de cette toilette apaisante de l'esprit, vous vous sentirez ragaillardi et ouvert à recevoir les besoins et les désirs de votre famille.

62

la valeur du pardon

Que nous le reconnaissions ou non, nous payons un prix énorme pour les colères, les rancunes et les doléances non résolues. Et si de petits pas vers le pardon pouvaient vous ouvrir les portes de la guérison et de l'approfondissement de votre relation avec vous-même et avec ceux qui vous sont chers? Apprendre à pardonner peut vous aider à libérer une partie du bagage émotionnel qui vous écrase comme autant de lourds sacs de sable. Quand vous découvrez la voie du pardon, vous commencez à modifier la manière dont vous réagissez devant ceux et celles qui peuvent ne pas se comporter comme vous le souhaiteriez.

Libérer le pardon ne signifie pas que vous approuviez le geste qui vous a blessé, pas plus qu'il ne demande une confrontation ou un aveu de la part de qui que ce soit. Le pardon est une pratique consciente qui part du fond de votre âme et qui se répercute dans tout votre être. Commencez par vous concentrer sur une situation ou une personne en particulier à qui vous aimeriez pardonner. Puis, déterminez votre intention en disant à haute voix: « Je peux pardonner. Ainsi, je découvre en moi la paix qui me permet de pouvoir aimer et faire confiance de nouveau. Le pardon est pour moi seul et me permettra de continuer à avancer dans ma vie. »

63

que voulez-*vous* faire?

L'attention est un don précieux. S'arrêter, demander et écouter est une combinaison puissante pour entrer en lien avec les autres — et avec soi-même. Quand vous rentrez à la maison après le travail, essayez de prendre cinq bonnes minutes pour écouter ce qu'un bon ami — vous — a envie de faire.

1. Peu après votre arrivée à la maison, assoyez-vous ou étendez-vous confortablement dans un lieu où vous ne serez pas dérangé.

2. Respirez ou écoutez consciemment pendant environ une minute.

3. Déterminez votre intention. Par exemple : « Que cet exercice m'aide à mieux me connaître. »

4. Respirez consciemment à quelques reprises, en laissant des sensations de calme et de bien-être vous envahir.

5. À mesure que vous vous détendez et que votre attention est plus soutenue, demandez-vous, par exemple : « Ce soir, qu'est-ce que je voudrais vraiment faire ? » ou « Qu'est-ce qui serait vraiment agréable ce soir ? »

6. Écoutez attentivement votre réponse. Respectez-la. Permettez-vous d'être étonné. Apprenez à vous connaître.

7. Profitez-en !

du temps pour toi et moi

C ombien de fois ne vous êtes-vous pas exclamé : « Je n'ai pas vu passer la soirée. » Quelque part entre dix-huit heures et l'heure d'aller au lit — votre temps libre pour relaxer seul, vous occuper de quelques projets, ou simplement prendre des nouvelles de votre famille ou de vos amis — vous avez été englouti dans un vortex de temps perdu. Si ce scénario se répète trop souvent, il peut devenir une routine, et vous pouvez avoir l'impression qu'on vous vole le temps précieux dont vous avez vraiment besoin pour cultiver les relations les plus importantes dans votre vie, incluant votre relation avec vous-même. Comme il y aura toujours une foule de responsabilités qui réclameront votre attention, vous aurez peut-être besoin de faire un effort particulier pour prodiguer à vos relations les soins et le dévouement qu'elles méritent.

Cet exercice consiste à vous réserver cinq minutes pour prendre de vos nouvelles et celles d'un être cher et prévoir du temps de qualité ensemble.

1. Prenez un moment pour consulter votre carnet d'adresses et trouver un ami avec qui vous aimeriez reprendre contact, ou encore pour demander un rendez-vous à votre conjoint.

2. Convenez d'une heure pour vous rencontrer et, une fois que c'est fait, inscrivez-la à votre agenda. Exprimez à l'autre l'importance de ce rendez-vous pour vous.

3. Rappelez votre rendez-vous à l'autre personne une journée ou deux à l'avance.

le cœur compatissant

I l est très facile de vous laisser prendre dans une perspective restreinte poussée par votre intérêt personnel et alimentée par des sentiments d'isolement et d'inquiétude, et cela peut se produire sans que vous vous en rendiez compte. Un remède efficace pour vous en libérer est la compassion, en ouvrant votre cœur à la souffrance de quelqu'un d'autre. Cet exercice vous aidera à développer la compassion et à découvrir comment elle peut devenir un antidote à vos propres problèmes.

1. Respirez ou écoutez consciemment pendant environ une minute.

2. Déterminez votre intention. Par exemple : « Que cet exercice allège mon cœur et me procure la joie. »

3. Pensez à quelqu'un que vous connaissez et qui vit de la souffrance ou des difficultés.

4. Respirez ou écoutez consciemment en vous concentrant sur cette personne. Reconnaissez sa détresse.

5. Imaginez que vous lui parlez avec bonté, comme un parent aimant le ferait à un enfant blessé : « Puisse ta douleur te quitter » ou « Puisses-tu trouver la paix. » Ou exprimez-vous dans vos propres mots.

6. Répétez votre phrase doucement aussi longtemps que vous le voulez.

7. Terminez en devenant silencieux. Prêtez attention à ce que vous ressentez.

écrivez

Vous ne vous considérez peut-être pas comme un écrivain ou comme une personne qui tient un journal, mais une guérison émotionnelle inestimable peut résulter du fait d'écrire vos pensées et vos sentiments, soit dans un journal, soit sur une feuille de papier à jeter plus tard. Écrire aide à clarifier et à libérer les émotions refoulées, et cela peut aussi vous donner une perspective renouvelée. Lorsque vous ne trouvez pas d'exutoire créatif à votre stress, à votre colère, à votre tristesse ou à votre confusion, ces sentiments accumulés couvent à l'intérieur de vous et peuvent entraîner des maladies.

Prenez une minute ou deux pour noter exactement quelles pensées s'agrippent à votre esprit et quels sentiments affligent votre cœur. Vous n'écrivez que pour vous, donc, saisissez cette occasion pour être aussi honnête et non censuré qu'il vous est possible. Écrivez avec vos tripes, avec l'intention de vous libérer de vos inquiétudes et des pensées qui vous bouleversent. Si cela vous aide à écrire plus librement, vous pouvez jeter, brûler ou détruire ce que vous avez noté. Agir de la sorte peut aussi symboliser le fait de lâcher prise sur ces pensées bouleversantes.

votre bon voisin

Combien de fois vous arrêtez-vous pour reconnaître l'importance de vos voisins qui font de votre maison un foyer? Cet exercice vous invite à prendre cinq bonnes minutes et à souhaiter du bien à vos voisins. La prochaine fois que vous parlerez à un voisin, laissez-vous inspirer par cet exercice.

1. Respirez ou écoutez consciemment pendant environ une minute.

2. Déterminez votre intention. Par exemple: « Que cet exercice renforce mon lien avec mes voisins. »

3. Imaginez l'un de vos voisins ou un groupe de voisins.

4. Respirez ou écoutez consciemment. Rappelez-vous comment votre voisin vous soutient.

5. Imaginez-vous lui parlant amicalement et lui offrant de bons vœux : « Je vous souhaite de vivre en sécurité et en paix » ou « Je vous souhaite d'être en santé et heureux. » Ou utilisez les mots que vous jugerez appropriés.

6. Répétez pour vous-même les souhaits avec douceur et bonté aussi longtemps que vous le voudrez.

7. Terminez en vous assoyant en silence pendant quelques respirations.

68

un peu de reconnaissance

U ne façon de desserrer l'étau du stress sur votre vie, c'est de vous laisser attendrir par la beauté qui vous entoure, d'ouvrir votre cœur et votre esprit à la bonté et à la joie que les autres personnes et les animaux de compagnie apportent dans votre vie. Il est plus difficile de rester frustré et en colère lorsque vous êtes occupé à vous concentrer sur la bonté qui vous entoure.

Cet exercice vous invite à garder une liste mentale ou écrite de ce que vous appréciez de votre famille, de vos amis, de vos animaux, et même de vous-même. Voici quelques idées qui pourraient figurer sur votre liste.

- Je suis une personne forte et résiliente, et j'ai sur-vécu à des moments difficiles avec dignité et grâce.

- Je suis chanceux d'avoir autour de moi des gens généreux et bienveillants.

- Je suis reconnaissante que mon conjoint m'aime malgré mes imperfections et mes défauts.

- Mon meilleur ami a un merveilleux sens de l'humour, ce qui m'aide à me détendre et à rire.

- Mon animal de compagnie me rappelle chaque jour que je suis aimé et qu'on a besoin de moi.

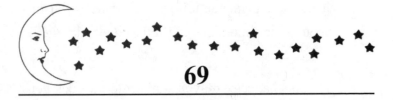

69

jamais seul

Lors de votre prochaine respiration consciente, ou lors de votre prochain moment conscient, le monde pourrait vous tendre la main. Vous n'avez jamais à vous sentir seul si vous pouvez recevoir le don de la vie qui se révèle à vous. Cet exercice vous aidera à comprendre comment vous êtes une partie intégrante de l'Univers.

1. Respirez ou écoutez consciemment pendant environ une minute.

2. Déterminez votre intention. Par exemple : « Que cet exercice approfondisse mon sentiment d'appartenance et de connexion. »

3. Respirez ou écoutez consciemment encore un peu.

4. Tournez votre attention vers les sons.

5. Ouvrez-vous et recevez tous les sons directement et consciemment. Concentrez-vous sur la *vibration* de chaque son, non pas sur les noms ou les histoires que vous rattachez à chacun. Notez également l'espace entre les sons.

6. Imaginez que les vibrations viennent à vous pour vous réconforter, que l'Univers lui-même se tend vers vous, dans toute sa richesse et son intégralité — avec bienveillance — à travers chaque vibration du son.

7. Appréciez la variété des sons — forts, doux, discordants, paisibles, urgents, réguliers, heureux, quels qu'ils soient. Ressentez la vibration. Laissez cette profonde vibration et cette interconnexion avec l'Univers réchauffer votre cœur, votre esprit et votre corps.

8. Reconnaissez comment les énergies universelles circulent toujours en vous et à travers vous. Vous *ne pouvez pas* être exclu de l'Univers.

70

faites l'inventaire de votre vie

Si vous voulez vraiment vivre une vie qui a du sens, avec de bonnes intentions et de la gratitude, vous devez alors faire l'inventaire de chaque aspect imaginable de votre vie — matériel, émotionnel, mental et spirituel. Il n'y a rien de tel que le moment présent pour faire l'inventaire et noter le contenu de votre vie en termes de ce qu'elle vaut pour vous. Posez-vous les questions suivantes pour vous aider à entreprendre votre cheminement vers une vie plus significative, plus centrée, avec plus d'intégrité et de reconnaissance.

- Est-ce que mes biens personnels, ma garde-robe, mes attitudes, mes buts, mes obligations, mes engagements, mes relations, mes habitudes et mes rêves reflètent mes valeurs?

- Est-ce qu'ils conviennent à mon style de vie actuel?

- Est-ce qu'ils continuent de me servir ou de me procurer du plaisir?

- De quelles façons drainent-ils mon énergie, nuisent-ils à mon bonheur ou ne répondent-ils pas à mes besoins?

- Quels petits changements ou ajustements pourrais-je faire cette semaine pour entreprendre le processus d'élimination des choses qui me ralentissent ou qui diminuent ma qualité de vie?

seulement cela

L es relations avec les autres sont complexes. Nous donnons et prenons, nous plaisons et ennuyons, nous satisfaisons et décevons. Cependant, une relation aimante ne devrait pas nécessiter de troc. Être présent avec une attention douce et compatissante, c'est peut-être plus cela, l'amour.

Et si vous n'étiez pas toujours tenu de faire les choses « à la perfection » ou si vous n'obteniez pas toujours tout ce dont vous avez « besoin »? Qu'est-ce qui se produirait si vous oubliiez toutes ces histoires, ne serait-ce que pour un court cinq minutes?

1. Respirez ou écoutez consciemment pendant environ une minute.

2. Déterminez votre intention. Par exemple : « Que cet exercice enrichisse ma relation. »

3. Respirez ou écoutez consciemment encore un peu.

4. Concentrez-vous sur une relation importante, et pensez spécifiquement à l'autre personne.

5. Posez-vous cette question : « Qu'est-ce que j'attends de toi ? » Écoutez la réponse.

6. Posez une autre question : « Qu'arriverait-il si je n'attendais rien de toi ou si je ne te demandais rien ? » Écoutez cette réponse. Reconnaissez et respectez toutes les réponses.

7. Que ressentez-vous et que remarquez-vous ?

abaissez vos critères

Si vous recherchez l'excellence lorsqu'il s'agit de satisfaire les besoins des autres, alors « non » peut être le mot de votre vocabulaire le plus difficile à verbaliser. Vous pourriez éprouver de terribles sentiments de culpabilité ou d'anxiété lorsqu'une autre obligation quotidienne se présente sur votre route. Il faut une très grande détermination et de la pratique pour abaisser vos critères. Mais apprendre à dire non pourrait vous sauver la vie; cela pourrait vous libérer de l'emprise continuelle d'une vie surchargée par trop d'obligations, de projets supplémentaires, d'invitations et de délais inutiles qui sapent votre précieuse énergie et votre temps.

Prenez quelques moments pour exercer votre liberté de dire non aux choses qui minent votre énergie. Dire non renforcera votre respect de soi et votre habileté à placer vos besoins en premier. N'oubliez pas qu'il n'est jamais trop tard pour rappeler quelqu'un et lui dire : « Une chose inattendue est survenue, je ne pourrai pas faire ce que j'ai dit. Merci d'avoir pensé à moi. » Ou vous pourriez répondre : « Merci de l'invitation, mais j'ai déjà d'autres projets. » Cela est vrai : ces « autres » projets sont de prendre soin de vous.

l'animal de compagnie
qui vous aime

Votre animal de compagnie, par un jappement, un ronronnement, une gambade, ou un frétillement de la queue, vous manifeste à quel point il est heureux de vous voir. Essayez de prendre cinq bonnes minutes pour être vraiment avec votre ami affectueux.

1. En jouant avec votre animal, portez consciemment attention sur ce qui se passe.

2. Recevez l'expérience comme elle se déroule, en remarquant vos sentiments de joie, d'amour, d'excitation, ou quoi que ce soit d'autre que vous pourriez éprouver.

3. Remarquez la façon dont votre animal se déplace, écoutez les sons qu'il fait, sentez la texture de sa fourrure, regardez son visage et dans ses yeux.

4. Ouvrez-vous aux échanges et soyez présent à vos propres paroles et à votre propre jeu. Respirez et écoutez consciemment si cela vous aide à rester présent et en lien.

5. Si votre attention se détourne ou que des jugements se dessinent, remarquez avec douceur ce qui vient de se passer et reportez votre attention sur votre animal.

6. Permettez-vous de recevoir les cadeaux d'amour, de compagnie et d'appartenance.

une pause d'optimisme

Alors que s'accumule la pression causée par votre charge de travail, vous pourriez vous sentir frustré, irrité, en colère ou résigné. À certains moments, vous pourriez même vous convaincre que votre patron, vos collègues, votre famille et vos amis s'en fichent et ne veulent pas aider. Bien qu'il soit naturel d'avoir de telles pensées négatives lorsque vous êtes fatigué et frustré, cela peut perturber vos relations personnelles. Vous pouvez commencer à réduire cette tension avant de la projeter sur ceux que vous aimez en prenant une pause d'optimisme. Consacrez les cinq prochaines minutes à suivre ces étapes simples vers la sérénité.

1. Lorsque surviennent des moments de stress, au travail ou à la maison, trouvez un endroit pour vous asseoir tranquillement sur une chaise, le dos confortablement appuyé.

2. Si vous le pouvez, fermez la porte, votre cellulaire, et fermez les yeux.

3. Prenez plusieurs respirations du diaphragme.

4. Maintenant, rappelez-vous une occasion où vous vous sentiez profondément heureux, où vous riiez de plaisir, où l'amour habitait tout votre corps. Laissez ce sentiment de joie vous envahir.

5. Permettez à ce sentiment de légèreté et d'espoir de dessiner un sourire sur votre visage. Visualisez ce sourire qui dissipe votre stress et qui vous aide à retrouver une sensation de bien-être et de clarté alors que vous allez reprendre vos activités.

ne faites qu'écouter

Le cadeau peut-être le plus précieux que nous pouvons offrir à l'autre est notre attention la plus totale. Malheureusement, lors d'une conversation, nous sommes souvent plus attentifs à notre réaction intérieure qu'aux propos de l'autre personne. Pour contrer cette tendance, faites l'expérience suivante d'une écoute consciente. Tout au long de cet exercice, respirez consciemment pour rester concentré et présent.

1. La prochaine fois que vous aurez une conversation, prenez consciemment quelques respirations.

2. Rappelez-vous que vous faites l'expérience d'une écoute consciente.

3. Pendant que l'autre parle, dirigez votre attention sur cette personne et ne faites qu'écouter. Oubliez vos propres réactions, toute réponse ou argument inté-rieurs, et même vos efforts pour plaire ou pour manifester de l'intérêt.

4. Lorsque votre esprit vagabonde, respirez consciemment pour maintenir votre concentration.

5. Prenez conscience de toute pensée sans qu'elle vous distraie; respirez plutôt consciemment et ne faites qu'écouter.

6. Maintenez votre totale attention pendant les moments de silence, invitant l'autre personne à partager toute autre chose qu'elle a besoin de dire.

Préparez-vous pour
une bonne nuit de repos

76

écoutez l'appel d'un corps fatigué et d'un esprit las

À un certain moment au cours de la soirée, vous pourriez vous sentir fatigué et abattu, physiquement et mentalement. Si vous vous demandez: « Est-ce que je suis fatigué? » ou « Devrais-je aller me coucher? », essayez de prendre cinq bonnes minutes pour vous connecter avec votre corps, votre cœur et votre esprit.

1. Pratiquez doucement la respiration consciente ou l'écoute consciente pendant environ une minute.

2. Tournez délicatement votre attention vers votre esprit, votre cœur et votre corps. Permettez à toutes les sensations et à toutes les expériences de venir à vous, en les recevant tout en y prêtant attention.

3. Prenez conscience des sensations dans votre corps fatigué : par exemple la lourdeur dans vos membres, vos paupières qui se ferment ou une faible énergie.

4. Remarquez si votre vivacité d'esprit est amoindri : par exemple, prenez conscience de toute difficulté à vous concentrer ou d'une sensation d'abattement.

5. Élargissez votre conscience vers vos émotions. Éprouvez-vous des sentiments de contrariété, d'irritation, ou même de la résistance à aller au lit ? Nommez-les avec douceur, tout en reconnaissant leur présence.

6. Apprenez à reconnaître l'appel de votre corps fatigué et de votre esprit las, puis offrez-leur du soulagement.

boisson relaxante pour l'esprit

Après une journée mouvementée de travail, de courses et de responsabilités, prendre une bonne nuit de sommeil peut se comparer à tenter d'arrêter un train qui file à toute allure sur une pente descendante, sans freins. Les pensées et les tâches du lendemain peuvent tourner et tourbillonner dans votre tête, sans espoir de repos en vue.

Ce soir, avant de vous mettre au lit, prenez quelques minutes pour vous faire une tasse de tisane calmante, comme de la camomille ou de la menthe. (Certaines tisanes peuvent stimuler, alors prenez soin de bien choisir ou demandez conseil si vous n'êtes pas certain.) Même si vous n'aimez pas beaucoup la tisane, le rituel de sa préparation fait partie du processus en vue de calmer vos nerfs. Pendant ce rituel, observez chaque détail: quelle tasse avez-vous choisie? Quelle est l'odeur de la tisane, même avant de l'infuser? Remarquez le bruit de la bouilloire en la remplissant d'eau, ressentez son poids dans votre main, le chuintement des gouttes d'eau qui s'évaporent sur la cuisinière, la chaleur qui émane de la bouilloire, l'eau bouillante qui éclabousse dans votre tasse, les volutes de fumée qui s'élèvent de votre tasse et l'arôme apaisant.

se libérer de cette journée

Alors que vous êtes étendu dans votre lit et que vous attendez le sommeil, si vous portez attention à votre cœur, à votre esprit et à votre corps, vous remarquerez peut-être une tendance à rester accroché aux événements de votre journée, et même une résistance à lâcher prise sur eux. Cela peut nuire à une bonne nuit de sommeil. Essayez de prendre cinq bonnes minutes pour vous libérer consciemment de votre journée.

1. Respirez ou écoutez consciemment pendant environ une minute.

2. Déterminez votre intention. Par exemple: « Que je me libère de cette journée et que j'accueille la paix et le calme intérieurs. »

3. Visualisez votre respiration se déplaçant partout en vous — votre cœur (émotions), votre esprit et votre corps. Alors que votre respiration se fait naturellement par l'inspiration et l'expiration, imaginez qu'elle apporte le calme et le bien-être, et qu'elle éloigne l'agitation, le stress et l'irritation.

4. Essayez de parler avec bonté à toute partie de vous qui souffre, que ce soit au plan physique, émotif ou mental. Dites quelque chose comme: « Merci de tout ce que tu fais; tu peux maintenant te reposer. Tu es libérée. »

5. Essayez de vous parler avec douceur, disant quelque chose comme: « Que le plus grand bien provienne de toutes mes actions d'aujourd'hui. Je les libère et je me libère. Que je puisse être en paix. »

6. Terminez en respirant ou en écoutant consciemment encore un peu.

éliminateur de tension

Tout au long de votre journée, il se peut que vous emmagasiniez du stress et de la tension dans votre corps sans même vous en rendre compte, et sans savoir où vous les emmagasinez. Le but de l'exercice suivant, une scanographie de tout le corps, est de vous reconnecter avec l'endroit où votre corps peut emmagasiner votre tension et d'inonder cette partie d'une relaxation délibérée. Pendant que vous faites l'exercice, vous sentirez probablement la tension accumulée lorsque vous vous concentrerez sur cette partie de votre corps. Un autre signal que vous éprouvez de la tension, c'est lorsque vous sentez un serrement ou une douleur alors que vous êtes concentré sur une région en particulier.

1. Étendu sur le dos dans votre lit, les yeux fermés, respirez consciemment pendant une minute complète.

2. Concentrez-vous maintenant sur la plante de vos pieds. Contractez consciemment les muscles de vos pieds pendant quelques secondes, en gardant la tension, puis relâchez.

3. Concentrez-vous sur les muscles de votre estomac. Contractez consciemment les muscles de votre estomac pendant quelques secondes, en gardant la tension, puis relâchez.

4. Concentrez-vous sur les muscles de votre visage. Contractez consciemment les muscles de votre visage pendant quelques secondes, en gardant la tension, puis relâchez.

5. Répétez ce processus de contraction des muscles de régions en particulier — le cou, le dos, les jambes et autres — où vous pourriez accumuler votre tension, puis relâchez.

6. Poursuivez votre respiration consciente alors que vous relaxez pour sombrer dans un sommeil paisible.

terminez ce qui est commencé

Lorsque des situations difficiles ne sont pas réglées, cela peut vous empêcher de relaxer et de profiter d'une bonne nuit de sommeil. Essayez de prendre conscience des moments où vous vous sentez particulièrement coincé, ou que vous vous débattez avec quelque chose, une personne ou un événement de votre journée. C'est peut-être le meilleur moment de consacrer cinq bonnes minutes à vous occuper d'une affaire non terminée.

1. Respirez ou écoutez consciemment pendant environ une minute.

2. Déterminez votre intention. Par exemple : « Que cet exercice m'aide à trouver la paix. »

3. Respirez ou écoutez consciemment encore un peu.

4. Dirigez votre attention vers ce qui vous trouble. Nommez-le : mon problème de santé, ma relation ou mon travail, par exemple.

5. Respirez consciemment et demandez-vous avec douceur : « Que faut-il pour trouver la paix dans cette situation ? » Écoutez patiemment pour entendre toute réponse qui monte en vous. Écoutez attentivement et sans jugement. La réponse peut être un simple mot, ou une image ou un son. Posez de nouveau votre question si cela peut aider.

6. Si vous ne recevez pas de réponse significative, prenez-en note. Convenez que certaines choses prennent plus de temps que d'autres. Reconnaissez que vous avez fait la demande, et affirmez que vous allez revoir la question aussi souvent que vous en sentirez le besoin. N'y pensez plus pour le moment.

81

arrêtez ce cheval de course,
je veux descendre

Comment se fait-il que, peu importe à quel point nous sommes exténués, nos émotions peuvent nous tenir éveillés la moitié de la nuit? La litanie des questions « pourquoi moi? » peut ronger votre cœur sensible et vous faire sentir isolé et seul. L'heure d'aller au lit peut être le moment où toutes vos peurs et vos incertitudes reviennent et vous tourmentent sans fin. Prenez quelques moments pour faire cet exercice de libération émotionnelle.

1. Commencez par laisser libre cours à toutes vos inquiétudes et à toutes vos peurs, à vos sentiments blessés et à vos déceptions. C'est bien ça, donnez-leur libre cours sur le champ de courses de votre esprit pendant une minute entière.

2. Concentrez-vous maintenant sur une émotion particulière, telle la solitude, et inventez une formule verbale pour vous aider à immobiliser ce sentiment. Vous pourriez trouver utile de visualiser vos pensées et vos sentiments comme des chevaux dont vous avez le pouvoir de tirer les rênes pour freiner leur course.

3. Dites à haute voix : « Ma solitude (ou une autre émotion) est une des causes qui font battre mon cœur si fort, mais ce soir je me retire de cette course. Je mets mon sentiment de vide au repos. »

4. Faites de même avec vos autres émotions en disant : « Ce soir, j'applique un frein à mes sentiments de _____ . Je mets cette émotion au repos. »

l'escalier vers le sommeil

Il n'y a rien de pire que l'agoisse de vous tourner et de vous retourner dans votre lit, pour finalement ne pas être capable de trouver le sommeil. Lisez le bref scénario suivant d'autohypnose et mettez-le en pratique pour commencer à faciliter votre passage vers une bonne nuit de repos.

1. Fermez les yeux et suivez consciemment le rythme de votre respiration pour vous centrer dans le présent.

2. Détendez votre esprit en disant: « Je sens que mon corps est de plus en plus lourd, se relâchant et se détendant à chaque respiration. Je sens que mon esprit

s'envole dans les nuages.» Vous pourriez aussi vous répéter ces mots: «somnolent, confortable, détendu, bien».

3. Visualisez maintenant un escalier qui mène vers un endroit qui vous apporte le calme. À chaque marche, vous deviendrez graduellement plus confortable et plus serein. Chaque marche vous amène de plus en plus profondément vers un calme total.

4. Prenez un instant pour imaginer votre esprit et votre corps qui flottent au-dessus de l'escalier, sans poids, sans limite et sans entrave. Vous commencerez à éprouver la sensation de vous laisser aller de plus en plus, de vous sentir de plus en plus endormi, de descendre en vrille vers une relaxation complète.

83

ressentez de la gratitude
pour cette journée

Des sentiments de bien-être et de tranquillité au moment de se mettre au lit favorisent un sommeil réparateur. Malheureusement, votre esprit peut souvent ressasser des pensées négatives ou inquiétantes juste au moment où le sommeil est proche.

Ce simple exercice de gratitude peut vous aider à transformer votre expérience en passant de l'inquiétude au bien-être.

1. Étendu dans votre lit, respirez ou écoutez consciemment pendant environ une minute.

2. Déterminez votre intention. Par exemple : « Que cet exercice libère mon cœur et mon esprit afin d'obtenir un sommeil réparateur. »

3. Respirez ou écoutez consciemment encore un peu.

4. Rappelez-vous ou évoquez une bonne chose qui s'est produite ou qui s'est présentée à vous aujourd'hui. Détendez-vous, prenez du temps et ouvrez-vous totalement à l'expérience. Ressentez les bons vœux, le soutien et le sentiment de sécurité que vous avez reçus de ce don.

5. Si vous prenez conscience d'autres réalités pour lesquelles vous éprouvez de la gratitude, ressentez-en profondément les bienfaits, aussi.

6. Abandonnez tout jugement critique, commentaire ou histoire concernant les choses pour lesquelles vous éprouvez de la gratitude.

7. Reposez-vous en paix et dites merci.

des nuits remplies d'étoiles

À quand remonte la dernière fois où vous étiez dehors sous les étoiles? Même si vous vivez dans une ville où vous ne pouvez pas les voir, ou parfois lorsque le brouillard ou les nuages vous bloquent la vue, vous avez l'absolue certitude d'être sous cette magnifique multitude d'étoiles qui s'étendent à travers l'Univers.

Ce soir, prenez quelques minutes pour regarder les étoiles. Éprouvez les sensations que seuls un coucher de soleil ou des rayons de lune peuvent procurer à votre esprit, à votre corps et à votre âme. Prêtez attention à l'immobilité de l'air, à la fraîcheur sur votre peau, au chœur de criquets, à la douce odeur du chèvrefeuille et à la vie devenue silencieuse autour de vous. Imaginez tous les gens bien couchés dans leur lit, en sécurité, blottis sous de chaudes couvertures et se laissant gagner par le sommeil. Découvrez tous les rêves qui envahissent leur esprit inconscient, qui les transportent dans des navettes à voyager dans le temps vers des lieux lointains, des terres inconnues et des histoires encore plus étranges. Bientôt, vous y serez, vous aussi.

85

feu, terre, eau, air

Vous avez pourvu aux besoins de chacun : le repas est terminé, les enfants sont couchés, les tâches ménagères sont complétées, et le chat a mangé. Vous avez veillé à ce que chacun soit nourri, en sécurité et aimé, mais qu'en est-il de vous ? C'est peut-être ainsi depuis si longtemps que vous ne savez même plus quels sont vos besoins. Cet exercice d'enracinement vous aidera à vous connecter avec vos véritables besoins et désirs intérieurs.

1. Commencez par votre respiration. En inspirant, reconnaissez que les autres ont ce dont ils ont besoin et sont en sécurité ; en expirant, reconnaissez qu'il est maintenant temps de prendre soin de vous.

2. Visualisez les quatre éléments de la nature sans lesquels nous ne pourrions pas exister et qui nous enracinent à cette planète : le feu, la terre, l'eau et l'air. Faites le vide dans votre esprit et imaginez la pièce remplie de bougies, qui vous baignent de chaleur et de lumière. Même si vous êtes porté par la rotation de la Terre, vous demeurez fermement ancré au sol. Laissez les eaux froides du calme, fraîches et d'un bleu cristallin, vous envelopper et emporter votre fardeau avec le courant. À chaque respiration, vos poumons s'emplissent des forces de vie de l'air.

3. Dans cet espace de méditation, permettez à vos besoins et à vos désirs de faire surface. Honorez-les et reconnaissez-les.

dites bonne nuit à votre esprit

Avez-vous déjà remarqué que votre esprit semble souvent ignorer que votre corps essaie de dormir? Il pourrait être utile de traiter un esprit occupé comme un enfant turbulent au moment du coucher. Lorsque vous êtes étendu dans votre lit, essayez cet exercice.

1. Respirez ou écoutez consciemment pendant environ une minute.

2. Déterminez votre intention. Par exemple: « Que je puisse traiter mon esprit occupé avec la bonté et la patience d'un parent aimant. »

3. Dirigez avec douceur votre attention vers les pensées et les images qui bourdonnent dans votre esprit.

4. Parlez doucement et calmement à votre esprit occupé, comme si vous parliez à un enfant turbulent ou inquiet. Par exemple, dites-lui : « Merci de tout ce que tu fais. Il est temps de te reposer maintenant. Tu pourras t'amuser demain. Il est temps de dormir. Bonne nuit. »

5. Respirez consciemment, tout en relaxant.

6. Vous pourriez peut-être devoir visiter votre esprit occupé quelques fois encore. Parlez toujours avec bonté, comme si vous parliez à un enfant.

rituels du coucher

Si les enfants peuvent avoir leurs rituels pour le coucher, pourquoi n'en auriez-vous pas un, vous aussi? Ce soir, prêtez attention à votre routine du coucher et soyez pleinement présent à chaque moment pendant ce rituel. Prenez un soin particulier à vous brosser les dents, à vous laver le visage, à essuyer vos mains, à enfiler un pyjama confortable, à tirer les couvertures, à faire gonfler votre oreiller préféré, et à vous étreindre pour vous souhaiter bonne nuit.

Avant de fermer la lumière, lisez-vous une histoire pour dormir, ou essayez de vous rappeler un conte qu'on vous a raconté lorsque vous étiez enfant. Chantez-vous une berceuse ou une chanson de votre enfance dont vous vous souvenez. Lorsque vous étiez petit, vous faisiez sûrement des choses ridicules pour éloigner les cauchemars et les monstres effrayants. Prenez cinq minutes pour fermer la porte de votre penderie, glisser une lampe de poche sous vos couvertures et raconter de nouveau cette histoire avant de dormir, à vous ou à votre conjoint. Pensez à une personne ou à quelque chose qui vous sécurisait lorsque vous étiez jeune. Considérez ce que vous pourriez faire pour vous-même ce soir afin de vous sentir protégé et en sécurité.

votre précieuse vie

L e stress de la journée ou le souvenir de situations difficiles peuvent vous empêcher de dormir. Si vous commencez à vous sentir isolé, dépassé ou vulnérable, ces facteurs peuvent nuire davantage à un sommeil réparateur. Passer quelques minutes à réfléchir à un aspect plus vaste de votre vie peut aider à ramener la paix et le calme alors que vous vous préparez au sommeil.

1. Peu avant ou peu après vous être mis au lit, respirez ou écoutez consciemment pendant environ une minute.

2. Reconnaissez cette journée comme l'une des nombreuses autres au cours d'un mois, d'une année, et de toutes les années de votre vie.

3. Rappelez-vous que vous avez connu de nombreuses journées — bonnes et mauvaises; plusieurs relations — agréables et difficiles; de nombreuses expériences — plaisantes et déplaisantes.

4. Respirez consciemment.

5. Laissez-vous ressentir profondément la plénitude et la richesse de votre vie, en vous rappelant que la vie est faite de beaucoup plus que d'une seule journée ou d'un seul événement.

6. Pouvez-vous ressentir de la gratitude pour la variété et la richesse de votre vie?

89

vacances de médias

C omme si ce n'était pas suffisant de passer nos journées en étant envahis par un flot constant de pollution sonore — klaxons, hurlements de sirènes, conversations des gens, avions en vol, appels téléphoniques incessants — combien d'entre nous passent leurs soirées devant le téléviseur à plein volume dans une pièce, la radio qui retentit dans une autre, le téléphone qui n'arrête pas de sonner, et le chien du voisin qui jappe toute la nuit?

Au cours des cinq prochaines minutes, déclarez que personne dans la maison n'allumera le téléviseur, l'ordinateur ou la chaîne stéréo. Pendant que vous y êtes, allez-y et débranchez le téléphone. Osez faire l'effort courageux de débrancher temporairement. Vous avez besoin et vous méritez au moins cinq minutes entières de silence absolu — pas de disputes, de commérages, pas un seul murmure ou un chuchotement de quiconque pendant cinq minutes entières silencieuses et sacrées de répit. (S'étreindre, s'embrasser et sourire sont encouragés!)

90

souhaitez-vous
une bonne nuit de repos

Être bon envers les autres nous vient souvent facilement. Être bon envers soi-même peut malheureusement être plus difficile. L'heure de vous mettre au lit est un bon moment pour pratiquer la bonté envers vous-même. Essayez de vous souhaiter une bonne nuit de sommeil, tout comme vous le feriez à un être cher ou à un enfant.

1. Alors que vous êtes étendu dans votre lit et attendez le sommeil, respirez ou écoutez consciemment pendant environ une minute.

2. Déterminez votre intention. Par exemple: « Que cet exercice m'aide à bien me reposer. »

3. Respirez ou écoutez consciemment encore un peu pour permettre au bien-être et au calme de pénétrer en vous.

4. Placez une ou vos deux mains sur votre poitrine, contre votre cœur.

5. Reliez-vous à des sentiments de bonté ou d'amitié intérieurs, par exemple les sentiments que vous éprouvez pour un être cher ou un ami précieux.

6. Parlez-vous avec bonté, comme si vous parliez à cet être cher, et souhaitez-vous une bonne nuit de repos. Vous pouvez dire: « Dors bien », « Je souhaite de dormir bien et profondément » ou « Fais de beaux rêves, mon ami. »

7. Laissez entrer en vous la paix, le bien-être et la relaxation.

8. Bonne nuit.

91

la force spirituelle

Après une longue et dure journée chargée de responsabilités et d'exigences, l'heure de vous mettre au lit peut être une occasion de renouer avec votre moi spirituel. Que vous vous considériez de nature religieuse ou non, vous avez sans aucun doute médité sur les mystères de la vie. Lorsque vous vous ouvrez aux mécanismes inconnus de l'Univers, vous prenez le temps de reconnaître votre but et votre raison d'être sur la planète.

Pendant que vous vous glisserez sous vos couvertures ce soir, prenez quelques minutes pour vous éloigner des problèmes de votre routine quotidienne et de ses détails interminables, pour explorer la profondeur de ce qui est sacré dans votre vie. Alors que vous vous apaisez dans un mode de respiration détendue, contemplez la perfection des forces qui vous ont porté ici jusqu'à ce jour et qui vous ont accordé votre vie unique, avec toute sa richesse et sa complexité. Songez que ce miracle de l'existence se renouvelle sans fin dans le temps et l'espace. Considérez les questions suivantes comme un moyen de guider votre esprit et votre corps vers ce voyage infini de l'âme.

- Qui suis-je? Pourquoi suis-je ici?

- De quelle façon suis-je une partie de ce qui est beau et miraculeux sur cette planète?

- Quelles expériences ou activités me font sentir en lien avec la vie à l'extérieur de moi?

92

le temps du repos

L e secret de cet exercice, c'est de *ne pas* tenter que quelque chose se produise! Il suffit de vous détendre et d'accueillir l'expérience qui vient à vous.

1. Confortablement couché dans votre lit, respirez ou écoutez consciemment pendant environ une minute.

2. Déterminez votre intention. Par exemple: « Que je reçoive les dons du bien-être et de la relaxation dans mon corps, mon esprit et mon cœur. »

3. Dirigez votre attention sur les sensations physiques de votre corps. Parlez à votre corps avec bonté. Dites, par exemple: « Merci de tout ce que tu as fait aujourd'hui. Tu peux maintenant te reposer. »

4. Respirez ou écoutez consciemment encore un peu.

5. Prêtez attention à votre cœur et à votre esprit. S'il y a de l'agitation ou du désarroi, parlez avec bonté. Vous pouvez dire, par exemple : « Tu en as fait assez aujourd'hui. Il est temps de te reposer. »

6. Continuez de respirer ou d'écouter consciemment, et de parler avec bonté à votre corps, à votre esprit et à votre cœur.

7. Terminez en lâchant prise totalement.

congé mental

L es nuits où votre stress et vos soucis vous rejoignent au lit, vous avez besoin d'une échappatoire rapide et facile. Prenez les prochaines cinq minutes pour visualiser vos vacances parfaites. Imaginez une escapade qui vous apporte une sérénité et un calme illimités, un endroit comme une plage, une forêt ou une rivière. Lorsque vous aurez pensé à votre endroit particulier, prêtez attention à ce qui fait de cet environnement un endroit calme et relaxant.

- Est-ce le bruit incessant des vagues qui frappent le rivage? Est-ce le vent qui fait bruire les feuilles? Est-ce le bruit d'un courant d'eau, ou peut-être le silence — l'absence des bruits de la civilisation?

- Est-ce la chaleur du soleil sur vos épaules ou la sensation du sable chaud sous vos pieds? Est-ce l'odeur de l'herbe fraîchement coupée ou le parfum vivifiant de l'automne?

- Êtes-vous couché dans un hamac ou assis sous un arbre? Lisez-vous un livre, admirez-vous un coucher de soleil, ou êtes-vous simplement en train de ne rien faire?

- Êtes-vous captivé par la beauté luxuriante qui vous entoure, ou êtes-vous enveloppé dans un moment de silence et la parfaite immobilité de la vie elle-même?

Maintenez en vous ces images apaisantes pendant que vous sombrez dans le sommeil.

bonne nuit, mon ami

Ressentir un sentiment de lien et d'appartenance n'est pas seulement une grande source de soutien et de bien-être, cela peut aussi contribuer à une bonne nuit de sommeil. Cet exercice vous invite à reconnaître les bienfaits d'un lien important dans votre vie et à vous reposer dans ces bienfaits.

1. Peu avant d'aller au lit, ou peu après, respirez ou écoutez consciemment pendant environ une minute.

2. Déterminez votre intention. Par exemple : « Que cet exercice m'apporte bien-être et repos. »

3. Pensez à un bon ami. Représentez-vous cette personne aussi clairement qu'il vous est possible. Laissez-vous ressentir la chaleur et le soutien de son amitié.

4. Imaginez que vous parlez à votre ami. Souhaitez-lui du bien en employant des phrases comme : « Puisses-tu être en sécurité et protégé », « Puisses-tu être comblé de joie », ou tout autre phrase que vous aimez.

5. Répétez doucement votre souhait aussi longtemps que vous le voulez.

6. Terminez en souhaitant bonne nuit à votre ami.

95

faites le vide dans votre esprit

Chacun de nous traîne avec lui un grand éventail d'émotions, de pensées troublantes et de sentiments douloureux qui peuvent créer des entraves — des détours qui dérangent un sommeil ininterrompu. Heureusement, le geste le plus élémentaire, la respiration, est une boussole très efficace pour guider votre esprit et votre corps vers un chemin de calme intérieur. Ce soir, installez-vous dans votre lit, bien appuyé sur des oreillers confortables, et offrez-vous quelques moments pour suivre cette méditation simple afin de libérer votre esprit et de restaurer l'harmonie intérieure.

1. Tout d'abord, visualisez votre corps qui s'envole lentement dans le ciel comme un cerf-volant. Ressentez le vent qui vous emporte vers un continuum intemporel.

2. En inspirant, vous aspirez de l'espoir et toutes les choses bonnes et positives. Vous absorbez la beauté exquise de l'horizon et vous augmentez votre potentiel pour expérimenter une vie libre sans entrave.

3. En expirant, vous laissez sortir la mauvaise énergie, la négativité et le désespoir.

4. À chaque respiration, vous vous sentez plus léger et plus à l'aise.

96

cultivez la paix intérieure

D epuis des dizaines de siècles, la pratique du taoïsme inclut des prières le matin et le soir, avec la croyance que les rituels du soir peuvent détendre l'âme, revitaliser l'énergie et améliorer le sommeil. Par ces prières et ces méditations quotidiennes, les maîtres taoïstes cultivent la paix intérieure avec leur moi et la paix extérieure avec le monde entier. Ce soir, prenez le temps de réciter vos prières, d'offrir vos remerciements pour les bienfaits de votre journée, d'être ouvert aux aventures qui vous attendent, et de nourrir la paix en vous-même.

1. Alors que vous êtes assis dans votre chambre et que vous respirez consciemment et paisiblement, placez vos deux mains contre votre cœur.

2. Dites à voix haute : « Ce soir, je suis les traces des anciens sages. Avec chaque respiration, je restaure la paix intérieure et extérieure, dans mon cœur et dans le monde. »

3. Durant ces moments de calme, vous vous libérez des pensées et des sentiments négatifs qui obstruent votre bien-être.

4. Dites à haute voix : « Je cultive un bien-être durable en moi. J'étends cette bienveillance au-delà des limites de mon corps, afin qu'elle se répande dans le monde entier. »

97

une infusion de ravissement

Pendant que vous vous préparez à aller au lit, pensez à un moment de votre passé ou plus récent où vous étiez vraiment heureux, où un sentiment de joie, des rires et du plaisir ont accompagné chacun de vos pas. Même si ce moment est derrière vous, vous pouvez re-créer un bonheur permanent à partir de ce souvenir.

1. Dès que vous avez clairement en tête un moment de joie, cherchez dans votre esprit afin de vous rappeler les détails: étiez-vous seul ou avec une personne exceptionnelle? Étiez-vous dans un parc, au restaurant ou à la maison? Qu'est-ce qui a rendu ce souvenir particulier et heureux?

2. Vous pouvez être un intermédiaire pour re-créer ce sentiment pétillant de contentement. Laissez-le filtrer dans tout votre corps. Visualisez-vous portant ce souvenir particulier dans les moments de tristesse, de découragement ou de chagrin.

3. Laissez votre merveilleux souvenir vous guider afin de retrouver et de garder un sourire sur votre visage et un doux rayon de soleil dans votre cœur.

98

liez-vous d'amitié
avec vous-même

Des sentiments de bien-être et de paix, de même qu'un sentiment de sécurité, sont de merveilleux alliés pour un sommeil réparateur. Ces sentiments découlent de votre grande aptitude à la bonté et à l'acceptation. Il est important de vous rappeler que, peu importe ce qui peut arriver dans le monde, vous pouvez toujours vous offrir ces cadeaux de bonté et d'acceptation.

Cet exercice peut vous aider à vous remémorer comment vous lier d'amitié avec vous-même et, ce faisant, favoriser de chaleureux sentiments de bien-être qui peuvent faciliter votre sommeil.

1. Respirez ou écoutez consciemment pendant environ une minute.

2. Déterminez votre intention. Par exemple : « Que cet exercice m'apporte la paix et une bonne nuit de sommeil. »

3. Respirez ou écoutez consciemment encore un peu.

4. Imaginez que vous vous parlez doucement, comme vous le feriez avec un ami cher, avec bonté et sans réserve.

5. Souhaitez-vous de bonnes choses, en utilisant des mots ou des phrases qui vous interpellent profondément. Par exemple, vous pourriez dire : « Je me souhaite d'être en sécurité et en paix », « Je me souhaite le bonheur et le bien-être » ou « Je me souhaite la guérison et la santé. »

6. Répétez cette phrase autant que vous le désirez.

7. Terminez en vous détendant doucement et en silence.

la quête de vision

Depuis des temps immémoriaux, des cultures à travers le monde entier ont utilisé la quête de vision comme principal rite de passage. La quête de vision est une période de solitude où vous recherchez une révélation intérieure — une vision pour diriger votre vie vers un sens et un but profonds.

Cet exercice de quête de vision vous apportera un sentiment de valeur ou de direction, de même qu'un sentiment de calme et de tranquillité intérieure. L'essence de cet exercice est d'être conscient du voyage seul, pas du but ou de la destination. Vous pouvez atteindre le sommet de la montagne, ou vous pouvez décider de vous asseoir en cours de route et de profiter du panorama. Votre quête de vision vous amènera où vous étiez destiné à vous rendre et un sommeil réparateur vous y attendra.

1. Assis ou couché sans bouger, fermez les yeux et chassez tout détail tenace de votre journée. Votre voyage en est un de l'esprit; point besoin de bagages.

2. Commencez à visualiser votre route, large et ouverte au bas d'une montagne sacrée. Pendant que vous commencez consciemment votre ascension, tout est calme et immobile, baigné de lumière et de tranquillité. Chaque pas, assuré et résolu, vous propulse en avant.

3. Prêtez attention à vos pieds, à votre respiration et au monde autour de vous. En cours de route, gardez l'esprit ouvert pour recevoir des messages, des symboles et des signes. Votre quête d'une plus grande vérité et d'une meilleure direction peut prendre la forme d'un mot, d'un animal ou d'une image sacrée.

4. Vous voyagez avec légèreté et vous vous déplacez avec aisance.

100

la toile de la vie

Une bonne nuit de sommeil est nourrie de sentiments d'appartenance et d'interrelation. De délicats gestes d'attention et de bonté au coucher sont de puissants rappels de votre place dans la toile de la vie, et ils peuvent aussi vous aider à trouver le sommeil dont vous avez besoin.

1. Juste avant de vous mettre au lit, ou juste après, respirez ou écoutez consciemment pendant environ une minute.

2. Déterminez votre intention. Par exemple: « Que cet exercice m'apporte joie et bien-être. »

3. Respirez ou écoutez consciemment encore un peu.

4. Visualisez toute la Terre, telle que vue de l'espace, ou visualisez un endroit que vous aimez particulièrement.

5. Regardez de plus près, et voyez toutes les formes de vie qui s'y trouvent.

6. Ouvrez-vous et reposez-vous dans vos sentiments d'affection pour ces formes de vie.

7. Souhaitez-leur de bonnes choses, en disant doucement des phrases comme: « Puissiez-vous être en sécurité et protégés » ou « Puissiez-vous être heureux.» Ou utilisez d'autres mots qui ont un sens particulier pour vous.

8. Faites l'exercice aussi longtemps que vous le désirez.

CINQ BONNES MINUTES
LE MATIN

100 exercices pour vous aider à rester calme
et garder le focus toute la journée

Vivez-vous à la course jusqu'au moment de vous effondrer dans votre lit le soir avec un sentiment d'insatisfaction? Travaillez-vous fort en ayant parfois l'impression de passer la majeure partie de votre temps à des choses sans importance? Vous sentez-vous débordé et constamment stressé? Et si vous pouviez réussir à tout faire et quand même vous sentir calme, concentré et sans stress toute la journée? Combien de temps seriez-vous prêt à investir pour créer l'harmonie et l'équilibre dans votre vie?

Calme, focus et sérénité ne sont qu'à CINQ MINUTES.

À propos des auteurs

Jeffrey BRANTLEY, M. D., est associé consultant au Département de psychiatrie de l'université Duke, à Durham, en Caroline du Nord. Fondateur et directeur du Mindfulness-Based Stress Reduction Program au Centre de médecine intégrée de l'université Duke, il a donné plusieurs entrevues à la radio, à la télévision et dans la presse écrite en tant que porte-parole. Il est l'auteur de *Calming Your Anxious Mind* et coauteur de *Cinq bonnes minutes le matin : 100 exercices pour vous aider à rester calme et garder le focus toute la journée.*

Wendy MILLSTINE est auteure pigiste et consultante diplômée en nutrition holistique, spécialisée en régimes et réduction de stress. Elle est coauteure de *Cinq bonnes minutes le matin : 100 exercices pour vous aider à rester calme et garder le focus toute la journée.*

MARQUIS

Marquis imprimeur inc.

Québec, Canada
2009